LES TABLES
DE MON MOULIN

A Denise mon épouse, et à ma fille Cordélia,
qui font de chacun de nos repas une fête

Direction éditoriale :
GHISLAINE BAVOILLOT

Création artistique :
MARC WALTER

Réalisation PAO :
Bela Vista

Photogravure :
Colourscan France

© Flammarion Paris 1996
ISBN : 2-08-200596-8
Numéro d'édition : 1115
Dépôt légal : avril 1996
Imprimé en Italie par Milanostampa

Roger Vergé

~

Les Tables
de mon Moulin

~

Photographies
de Pierre Hussenot

Stylisme
de Laurence Mouton

Avec la collaboration
d'Adeline Brousse

Flammarion

Sommaire

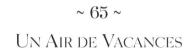

C'est Toujours la Fête au Moulin

~

Il y a tout juste dix ans, j'entraînais les lecteurs de mon livre *Les Fêtes de mon Moulin* dans une ronde de menus pour leur faire partager mon goût de la fête, et leur donner trucs et recettes qui permettaient de recevoir tout au long de l'année, en toutes occasions.

Je l'avouais alors, ces menus composés à l'aune de mon appétit seraient peut-être jugés trop copieux, les recettes un peu longues (mais je les aime très détaillées). Les lecteurs ont aimé cette richesse et ont fait un accueil très chaleureux à cet ouvrage, tant en France qu'aux États-Unis. Mais voilà, les temps ont changé : les lecteurs pressés recherchent des livres moins « imposants », moins coûteux aussi. De plus en plus soucieux de leur ligne, ils se contentent d'un menu de trois plats, même pour faire la fête.

Il était donc temps de remettre au goût du jour ce classique qu'était devenu *Les Fêtes de mon Moulin*. Cette nouvelle édition n'est pas un livre « abrégé », mais un livre reconstruit, qui vous propose des menus allégés, une sélection de recettes mettant surtout l'accent sur la cuisine du soleil qui est la mienne. J'ai supprimé certains menus, j'en ai modifié d'autres. Mais l'amateur y trouvera toujours des saveurs, des parfums, un bonheur à table que je l'invite à partager sans tarder.

Je vous propose donc douze menus parmi les plus accessibles, qui illustrent mon amour pour la cuisine. Puissent-ils vous permettre d'accéder aux plaisirs de l'art culinaire ! Pour élaborer ces plats, j'ai continué à puiser parmi les produits disponibles en quantité et en qualité chaque saison. Je vous accompagne pas à pas dans leur réalisation, et je vous souffle mille petits trucs tirés de mon expérience de chef, pour vous faciliter les choses.

La cuisine est une fête de tous les jours. Mais, plus que cela, un repas entre amis, même un simple déjeuner en famille peut devenir magique. La chaleur, l'amitié qui enflent autour d'une table célèbrent, mieux qu'une cérémonie, les grands comme les petits événements.

Partageons ensemble le plaisir de cuisiner et de créer des moments privilégiés.

AVANT LA FÊTE

~

Inviter à partager son repas, c'est faire une promesse, instiller dans l'esprit des convives l'espoir d'une symphonie de plaisirs gustatifs, visuels, voire affectifs.

Pour réussir, de bonnes recettes ne suffisent pas tout à fait. L'attention ou même la passion que vous portez au choix des produits, des vins, du décor de la table, influencent le résultat. La sensible qualité de vos efforts révèle l'amitié ou l'amour dont vous gratifiez vos invités. Là réside peut-être l'essentiel, et la fête des papilles est bien plus brillante quand elle est aussi celle du cœur.

Les conseils qui suivent ont deux buts : vous aider à faire plaisir, encore mieux ; et vous apprendre à vous simplifier la vie : votre disponibilité au moment du service contribue au bonheur de tous !

AU MARCHÉ

La plus grande cuisine ne fait que mettre en valeur les richesses de la nature. La réussite commence donc... en faisant les courses.

Les plus chanceux trouvent leurs végétaux au jardin. Rien n'égale la saveur des légumes, des fruits ou des herbes fraîchement cueillis. C'est pourquoi, derrière mon Moulin, foisonnent les herbes aromatiques...

Elles témoignent des souvenirs les plus forts que j'ai gardés de mon oncle : il s'occupait de son potager selon un rituel immuable adapté à chaque récolte. Ainsi, il n'aurait jamais cueilli une salade non blanchie : une semaine avant de la prélever, il refermait les feuilles sur le cœur et les attachait avec un lien de paille afin que, privée de lumière, elle soit bien blanche. Il n'arrachait pas une carotte au-delà d'une certaine taille, et abandonnait haricots verts et petits pois après la troisième cueillette... sinon pour les donner aux lapins. « Ils deviennent durs après cette troisième cueillette », disait-il. Fleurs, fruits ou légumes ne pouvaient en aucun cas être cueillis après que le soleil se fut élevé dans le ciel !

Malgré les origines bourguignonnes du kir, pourquoi ne pas le préparer avec un vin blanc de Provence et grignoter des olives de chez nous !

Pour croquer tout crus nos superbes légumes frais cueillis, trempez-les dans une anchoïade : une sauce faite de filets d'anchois, d'huile d'olive, d'ail, de pastis, de moutarde, de citron, d'herbes (thym, basilic, persil) et de poivre, le tout réduit en purée au mixeur. Un puissant concentré de Provence (double page suivante).

A défaut de jardin, il suffit de savoir bien acheter. J'ai eu la chance d'apprendre cet art dès l'enfance, et j'y ai trouvé ma vocation de cuisinier. Chaque vendredi, tante Célestine m'arrachait à l'école et m'emmenait au marché. Autant dire en vacances. Ou en voyage. Dans cette pittoresque école, je me suis toujours senti bien meilleur élève que dans l'autre...

Nous commencions par un tour général. Une flânerie apparente, durant laquelle ma tante semblait se contenter de promener un regard indifférent sur les paniers des fermières. Mais, le tour achevé, son choix était déjà fait.

Alors, l'air vaguement intéressé, elle s'arrêtait devant l'étal choisi, examinait une paire de poulets (ils se vendaient alors par deux), vérifiait la rougeur de la crête, la blancheur des pattes bien lisses, l'éclat de l'œil... Puis elle soufflait sur les plumes du jabot pour les écarter, et s'assurait du pouce que la peau était fine, brillante et sans pellicule blanchâtre. Elle contrôlait si la panse n'était pas bourrée de graines, ce qui aurait inutilement augmenté le poids : « Pourquoi est-ce que j'irais payer des graines qui ne profitent ni au poulet ni à moi ? » Elle vérifiait enfin que le poulet qui faisait la paire offrait les mêmes qualités que son frère de grains.

À l'issue de ces auscultations, le visage de ma tante exprimait un scepticisme désolé, et la fermière qui l'observait du coin de l'œil commençait à se dire qu'elle avait affaire à une rude cliente.

« Ma petite dame, protestait-elle (ma tante Célestine était une petite dame de plus de cent kilos), ces poulets-là, ils n'ont jamais mangé que du grain. Ça fait déjà une bonne semaine qu'ils courent plus et que je les ai mis à l'épinette (l'épinette est une cage en osier dans laquelle on mettait les poulets à engraisser dans l'obscurité).

— Ma pauvre dame, répondait ma tante avec commisération et une parfaite mauvaise foi, vos poulets mériteraient d'y rester encore une semaine ou deux, à l'épinette. Je ne peux tout de même pas mettre sur ma table de pauvres bêtes qui n'ont que la peau sur les os. »

Là-dessus, elle amorçait un faux départ, sachant que la fermière s'empresserait de la rappeler. Tout cela faisait partie d'un rite immuable, presque une politesse, sans laquelle la négociation n'aurait eu aucun intérêt.

Tante Célestine annonçait alors un prix ferme et définitif qu'elle n'aurait dépassé pour rien au monde. Question de dignité ! Son prix était d'ailleurs parfaitement honnête, ce qui n'empêchait pas la fermière de feindre, pour le principe, la désolation. Magnanime, ma tante prenait en plus, au même prix, deux ou trois autres paires de poulets et la fermière, pour avoir le dernier mot, s'exclamait : « Allez ! C'est bien parce que c'est vous... mais j'y perds. » Cela ne trompait personne, mais constituait la fin obligatoire et logique de toute transaction.

Après les poulets, nous achetions les œufs (c'est assez normal). Tante Célestine n'admettait que les œufs à coquille brune dont les jaunes, disait-elle, sont plus vifs. Puis venaient les fromages dont le grain et la pâte nous révélaient si le lait n'avait pas été chauffé, si on ne l'avait pas écrémé... Le beurre ne devait pas être trop jaune : cela aurait montré que les vaches avaient brouté trop de boutons-d'or (« C'est joli à regarder, mais ça retire de la finesse ») ou qu'on avait rincé le beurre au jus de carotte. Un petit morceau prélevé sur l'ongle du pouce suffisait à dénoncer un beurre non rincé à l'eau de puits, mal pressé ou contenant du babeurre.

Oh ! pensez-vous, voilà des histoires du bon vieux temps, et ni l'époque ni les marchés ne sont plus ainsi. Pourtant, je vous assure que l'on trouve

Les marchés de Provence ressemblent toujours à ceux de la chanson : on y trouve des petits légumes d'une fraîcheur parfaite !

Fèves, poivrons et tomates ultra-frais du marché Forville à Cannes.

encore de très bons produits, pour peu qu'on les cherche. Le tout est de vouloir prendre le temps... de se faire plaisir.

La parfaite fraîcheur surpasse toutes les exigences : n'hésitez pas à remplacer un turbot douteux par un cabillaud moins prestigieux mais de la dernière pêche.

Au risque de contrarier les puristes, je pense même que les conserves et les surgelés sont sans doute moins bons que les produits frais, mais meilleurs que ceux qui ont traîné trop longtemps à l'étal ; avec un brin d'herbe fraîche, une belle tomate, ils peuvent composer un repas heureux. En plus ils permettent de disposer hors saison de certains légumes (asperges, petits pois...) et de certains fruits (fruits au sirop, fraises surgelées pour les coulis uniquement, framboises...). Les poissons et les crustacés congelés perdent une partie de leur saveur et de leur texture mais donnent quand même des résultats corrects.

Achetez **la viande**, **les volailles** et **les gibiers** la veille de leur utilisation. Emballez-les dans un film plastique afin qu'ils ne captent pas les odeurs des autres produits au réfrigérateur.

Les poissons, surtout en filets, doivent être rangés à plat : en les pliant, vous risqueriez de briser les chairs. Emballez-les comme la viande, gardez-les dans la partie la plus froide du réfrigérateur, pas plus de vingt-quatre heures.

Les crustacés doivent être vivants au moment de leur préparation. Vous pouvez garder une langouste ou un homard vivant en dessous de 10 °C, deux jours bien serré dans un journal.

Les huîtres se gardent au froid (en dessous de 10 °C) jusqu'à huit jours après la date de pêche, moins longtemps pour les autres coquillages.

Les fruits et légumes doivent être propres et rangés dans le tiroir spécial du réfrigérateur. Il ne leur faut pas trop de froid, ni de ventilation excessive qui les déshydraterait. Ne les laissez pas là plus de deux ou trois jours.

Les fromages ne s'achètent pas trop à l'avance et ne se jettent pas dans un chariot comme un paquet de sucre. Seul un fromager averti saura vous conseiller un régal affiné, mûri, amené à parfaite maturité pour être consommé à son apogée. Laissez-les emballés séparément dans leur papier d'origine ou dans du film plastique, rangez-les dans la partie la moins froide du réfrigérateur.

Les laitages (beurre, lait, crème...) absorbent très vite les odeurs des autres produits. Ils doivent donc être bien emballés ou couverts.

Les vins doivent reposer au moins deux jours (une semaine pour les plus vieux) après avoir été transportés : ne les achetez pas au dernier moment. Pour bien les servir, consultez ci-dessous le chapitre « Vin ».

Enfin, en faisant le marché, n'oubliez pas ces mille et un détails qui font le charme d'un repas : bougies, fleurs, café, liqueurs, infusions, cigares, menus, et petits cadeaux en certaines occasions.

Avec tout ça, j'allais oublier le pain ! Achetez-le le jour même, sauf les gros pains de campagne ou les pains complets qui se congèlent très bien. Sortez-les du froid une bonne heure à l'avance. Si vous avez oublié de le faire, passez-les dix minutes à four moyen.

LE VIN

Le monde sensuel du vin est si vaste qu'il ne se résume pas en peu de pages. Tout au plus peut-on fixer quelques repères pour bien le choisir, le marier et le servir, sans s'encombrer l'esprit d'un savoir passionnant mais long et difficile à maîtriser. Ainsi mon sommelier, Gérard Voisin, sait-il faire aimer les bouteilles qu'il propose à mes clients, même néophytes, grâce à des gestes simples et précis.

Au fil de mes menus, vous trouverez dans la rubrique « Mon conseil-vin » l'appellation que je vous conseille pour une belle harmonie. Vous en tirerez le plus grand plaisir en respectant les brefs conseils ci-dessous.

Les bonnes années

L'étiquette des grands vins porte toujours l'indication du millésime, c'est-à-dire de leur année de naissance. Il en est de prestigieux et des décriés. Le tableau ci-dessous vous fera connaître leur réputation globale. Mais, en matière de vin, l'exception est souvent la règle ! Il peut donc vous arriver de rencontrer une bouteille très réussie dans un millésime modeste, ou de tomber sur l'échantillon raté d'une année grandiose ! Ne considérez pas cela comme un grave inconvénient, mais comme le témoignage permanent de ce que chaque vin reste l'enfant d'un vigneron, qui travaille avec son savoir personnel, ses idées, ses manies, ses coups de gueule... Souvent avec un formidable talent, parfois avec malchance... Le vin est aussi le fruit de la capricieuse nature : une année remarquable pour tel cru peut être médiocre pour un autre situé à quelques hectomètres, parce qu'il aura grêlé ici et pas là. Ce tableau n'indique donc que des moyennes.

Si votre fournisseur est de confiance, vous saurez à peu près ce que renferme la bouteille avant de l'ouvrir. Si vous achetez seul(e), goûtez le vin, quand cela est possible, avant d'en acheter plusieurs flacons. Et si vous n'êtes pas un grand dégustateur, demandez-vous seulement si le contenu vous fait vraiment plaisir. Sinon, prenez-en un autre.

Enfin, pensez que le plus grand vin n'est pas forcément celui qui convient au meilleur plat : mieux vaut parfois un bordeaux de petite année, moins dense qu'un autre, pour épouser un mets délicat sans l'écraser. Il vous arrivera donc de choisir exprès un vin de millésime moins prestigieux, pour un mariage plus équilibré !

Tous deux issus de sols arides et ventés, roquefort et hermitage se marient bien, même s'ils ne proviennent pas de la même région.

Le tableau des millésimes

Année moyenne ou correcte : * Bonne année : ** Très bonne année (et exceptionnelle) : ***

ALSACE	45***, 47***, 49***, 59***, 61***, 64***, 71***, 73**, 74**, 75**, 76***, 77*, 78**, 79**, 81**, 82**, 83***, 84**, 85***, 86*, 87**, 88***, 89***, 90***, 91*, 92**, 93**

BEAUJOLAIS

Beaujolais Nouveau, Beaujolais et Beaujolais Villages se boivent dans les mois qui suivent la récolte.

Les dix crus : Juliénas, Chenas, Chiroubles, Saint-Amour, Morgon, Fleurie, Brouilly, Côtes-de-Brouilly, Moulin-à-Vent, Régnié.

83**, 85***, 86*, 88**, 89***, 90**, 91***, 92*, 93*

BORDEAUX	
Blancs secs	70***, 71***, 75***, 76**, 78***, 79**, 80**, 81***, 82**, 83**, 84*, 85**, 86**, 87**, 88***, 89***, 90***, 91*, 92**, 93**
Blancs liquoreux	45***, 47***, 53**, 55**, 59**, 61***, 62**, 64**, 66**, 67***, 69*, 70***, 71***, 75**, 76***, 78***, 79**, 80***, 81**, 82**, 83**, 84**, 85**, 86**, 87*, 88***, 89***, 90*, 91**, 92*, 93
Rouges	45***, 47***, 49***, 53**, 55**, 59**, 61***, 62**, 64**, 66**, 69*, 70***, 71**, 75***, 76**, 78***, 79**, 80*, 81**, 82***, 83***, 84*, 85***, 86***, 87*, 88***, 89***, 90***, 91*, 92*, 93*
BOURGOGNE	
Blancs	47**, 49**, 53**, 55**, 59**, 61**, 62**, 64**, 66**, 69**, 70**, 71***, 73**, 76**, 78***, 79**, 80*, 81**, 82**, 83***, 84**, 85***, 86**, 87**, 88**, 89***, 90***, 91*, 92**, 93**
Rouges	45***, 47**, 49**, 53**, 55**, 59**, 61**, 64**, 66**, 69***, 70**, 71**, 76**, 78***, 79**, 80*, 81**, 82**, 83***, 84*, 85**, 86**, 87*, 88***, 89***, 90***, 91*, 92**, 93**
CHAMPAGNE	45***, 47***, 60***, 61***, 71***, 73**, 75***, 76**, 78**, 79**, 81**, 82**, 83**, 85***, 86*, 87*, 88**, 89**, 90***, 91*, 92*, 93*
CÔTES-DU-RHÔNE	
Rosés	Ne se conservent en général que un ou deux ans.
Blancs	78***, 79**, 81*, 82**, 83**, 85**, 86**, 87**, 88**, 89**, 90***, 91**, 92*, 93*
Rouges	45**, 46**, 47**, 49**, 50**, 53*, 55**, 61**, 62**, 64**, 66**, 67**, 69**, 70**, 71**, 76**, 78***, 79**, 80**, 81**, 82*, 83**, 84**, 85**, 86**, 87**, 88***, 89**, 90***, 91*, 92*, 93*
PAYS DE LOIRE	
Blancs secs	Ne se conservent souvent que deux à trois ans, mais les exceptions valent le détour ! 88***, 89***, 90***, 91*, 92*, 93*
Blancs moelleux	70**, 71**, 75**, 76***, 78**, 79**, 81**, 82***, 83***, 85***, 86***, 87**, 88***, 89***, 90***, 91*, 92*, 93*
Rouges	47***, 59***, 78***, 79**, 80*, 81**, 82***, 83***, 84*, 85**, 86**, 87*, 88***, 89***, 90***, 91*, 92*, 93**
LANGUEDOC-ROUSSILLON	86**, 88***, 89***, 90***, 91**, 92*, 93*
SUD-OUEST	70***, 71***, 75***, 76**, 78***, 79**, 82***, 83***, 84*, 85***, 86**, 87**, 88***, 89***, 90***, 92*, 93*
PROVENCE	82***, 83**, 85***, 86**, 87**, 88***, 89**, 90***, 91*, 92*, 93*

Certains millésimes manquent dans notre tableau : c'est qu'en théorie ils ne méritent plus d'être achetés ni bus !
En revanche, nous avons conservé de très vieux millésimes que vous ne goûterez sans doute jamais, mais qui ont marqué si fort les mémoires qu'il est toujours de bon ton de les citer, histoire de frimer un peu en montrant sa culture œnologique !

Jeune ou vieux ?

Si l'on n'a jamais vu un petit vin devenir grand en vieillissant, en revanche le destin d'un flacon très réussi... garde toujours une part d'inconnu. Une bouteille s'accomplira en toute harmonie, tandis que sa sœur jumelle se décomposera sans vergogne.

Cela dépend du bouchon, du goulot, des conditions de stockage, du moindre incident lors de la mise en bouteille, et on a presque envie de dire que ça dépend du sens du vent. Bref, plus vous attendez, plus vous boirez peut-être quelque chose de grand, mais plus vous prenez de risques...

En principe, les rosés se dégustent dans l'année, comme les primeurs et les rouges légers. La longévité des vins blancs et rouges varie énormément (de quelques mois pour un gros plant à plusieurs décennies pour un vin jaune du Jura). Les grands millésimes résistent bien sûr plus longtemps que les petits.

On a toujours dit que les champagnes devaient se boire dans l'année de leur mise en bouteille. En général, ils sont en effet conçus pour livrer le meilleur d'eux-mêmes dans leur première jeunesse. Dégustez donc les bruts non millésimés dès l'achat. Mais on peut faire des exceptions pour les bruts millésimés, qui évoluent en beauté jusque vers six, sept ans. Les grandes cuvées savent garder leur élégante tenue jusqu'à une dizaine d'années.

Renseignez-vous auprès de votre caviste (choisissez-le perfectionniste !) ou du vigneron au moment de l'achat.

Pour le garder longtemps

Le rêve de tout amateur est de disposer d'une vraie cave enterrée, dont on doit exiger certaines qualités :

- Température à peu près constante pouvant osciller de 8 à 12-13 °C, sans variations brutales.
- Obscurité obligatoire.
- Humidité élevée (entre 70 et 90 %) pour empêcher les bouchons de sécher et contribuer à stabiliser la température. Mieux vaut une cave trop humide que trop sèche : tant pis si vos étiquettes partent en lambeaux ; le vin, au moins, ne souffrira pas !
- Vibrations et odeurs (pots de peinture, oignons, cartons qui moisissent...) sont proscrits. Ne gardez donc pas les bouteilles dans leur carton.

Ce petit vendangeur chargé de raisins évoque nos santons traditionnels, qui font vivre en miniature les vieux métiers provençaux.

Le vin ne dort pas debout ! Gardez vos bouteilles couchées, le liquide en contact avec le bouchon. Vous limiterez ainsi les infimes échanges d'air qui se font à travers le liège.

L'art du bien-servir

Si vous deviez posséder un seul instrument pour le service, il faudrait que ce soit un thermomètre ! Le plus grand cru peut sembler une piquette s'il est servi trop chaud, le plus parfumé des beaujolais perd tout son arôme si on le glace. Au-dessous de 5 °C, autant boire n'importe quoi ; au-dessus de 18 °C, autant prendre un grog ! Le vin déteste les températures excessives.

Pour le rafraîchir. La cave est l'endroit idéal, mais il y fait rarement moins de 10 °C. Pour obtenir une température plus basse, utilisez un seau à glace : mettez-y d'abord la bouteille, puis de l'eau froide et enfin les glaçons. On contrôle moins bien la température dans un réfrigérateur, et le refroidissement y prend plus de temps.

Comment le chambrer. Chambrer signifie « mettre à la température de la chambre », c'est-à-dire de la pièce où la bouteille sera bue. L'expression remonte à une époque où l'on vivait dans des pièces à 16 °C. Chambrer un vin dans une salle à manger chauffée à 20 °C donnerait un résultat désastreux. Donc, on ne chambre plus vraiment, mais on réchauffe doucement jusqu'à 16 °C. Ne placez en aucun cas la bouteille près d'une source de chaleur genre radiateur ou cheminée.

Un vin léger, fruité, servi frais, fait un bon apéritif estival. Il prépare d'autant mieux le palais au repas si on peut le déguster aussi avec l'entrée.

Servez toujours le vin 1 à 2 °C sous la température idéale de dégustation : on ne le boit pas d'un trait, et il se réchauffe très vite dans le verre. Vous lui éviterez donc de devenir trop chaud avant de l'avoir savouré.

Bouteille ou carafe ? Chaque fois que c'est possible, présentez le vin dans sa bouteille : c'est plus simple et les convives aiment lire ce qu'ils boivent sur l'étiquette.

La juste température de dégustation

ALSACE		Frais, de 9 °C à 11 °C
BEAUJOLAIS	Beaujolais, B. Villages ou B. Nouveau	Frais, de 10 °C à 12 °C
	Les dix crus	14 - 15 °C
BORDEAUX	Blancs secs	Frais, 10-11 °C
	Blancs liquoreux	Frappés, de 7 à 9 °C
	Rouges	Chambrés, de 16 à 18 °C
BOURGOGNE	Blancs	Assez frais, 12 à 13 °C
	Rouges	De 14 à 16 °C
CHAMPAGNE		Frais, de 8 à 10 °C
CÔTES-DU-RHÔNE	Rosés	Frais, de 8 à 10 °C
	Blancs	De 12 à 14 °C
	Rouges	Chambrés, à 16-17 °C
PAYS DE LOIRE	Blancs secs	Frais, 9-10 °C
	Blancs doux	Frappés, 8-9 °C
	Rosés	Très frais, de 6 à 8 °C
	Rouges	De 13 à 15 °C
PROVENCE	Blancs et rosés	Très frais, de 7 à 9 °C
	Rouges	Chambrés, de 15 à 17 °C
SUD-OUEST	Rouges	Chambrés, 16-17 °C
LANGUEDOC-ROUSSILLON	Blancs et rosés	Frais, de 7 à 9 °C
	Rouges	De 14 à 17 °C

Les vins qui demandent à prendre l'air avant d'être servis sont les vins très vieux (mettez-les en carafe pour les réveiller en les oxygénant, pas plus de quelques minutes avant le service : fragiles, ils s'éventent très vite après ce coup de fouet) et les très jeunes s'ils sont un peu riches en alcool ou en gaz carbonique : ils gagneront à s'en alléger avant d'arriver dans le verre.

Les vins d'aujourd'hui, presque toujours filtrés, forment peu de dépôt en vieillissant et n'exigent donc pas d'être décantés. S'il vous arrive quand même, sur une vieille bouteille, que le dépôt menace la limpidité, faites doucement couler le vin contre le bord de la carafe, devant une source de lumière, et arrêtez de verser dès l'apparition du dépôt.

Quand déboucher une bouteille ? Les règles sont les mêmes que pour la mise en carafe. En fait, on a rarement besoin de se compliquer la vie en ouvrant la bouteille longtemps à l'avance. Il s'agit surtout de la goûter avant le repas pour vérifier l'absence de défaut (nez de bouchon, par exemple) et la remplacer si besoin. Après quoi, le vin gagnera à être… rebouché pour ne pas s'oxyder trop vite ! Si le nez de bouchon est très léger, décantez le vin : avec un peu de chance, un bon coup d'air le remettra en état.

Le panier. C'est un outil joli mais un peu démodé. Si le dépôt est envahissant à ce point, décantez le vin comme indiqué ci-dessus. L'idée à retenir, c'est que, en sortant de son casier une très vieille bouteille avec du dépôt, il faut la remettre à la verticale très progressivement (par positions successives, cela peut prendre plus d'une heure) pour empêcher le dépôt de se mêler au liquide : vous ne pourriez même plus décanter !

Le tire-bouchon. Les bons vins ont de très longs bouchons, et le tire-bouchon doit avoir une vis qui aille jusqu'au bout sans le blesser : longue et lisse, sans bord coupant et si possible enduite d'une matière antiadhésive type Téflon. Le système d'extraction doit être doux et progressif. Les modèles folkloriques sont toujours à proscrire.

Ne jouez pas les garçons de bistrot en calant la bouteille entre les genoux pour l'ouvrir : ça manque d'élégance et, s'il y a du dépôt, vous en retrouverez plein la bouteille !

Si un bouchon fuit, plus d'espoir de conservation : dépêchez-vous d'ouvrir la bouteille et de la boire.

Pour le champagne, au risque de perdre votre réputation de boute-en-train, ne faites jamais sauter le bouchon à grand bruit. Penchez la bouteille, tirez doucement le bouchon, retenez-le au moment où il va sauter. La mousse ne dépassera pas le bord du goulot, pourvu que le champagne soit assez frais et qu'il n'ait pas été agité.

Le verre. Une forme spéciale pour chaque région ne s'impose pas. Mais on ne goûte bien que dans un verre à pied. Tenez-le par le pied, jamais par la panse ; sinon, après deux ou trois essais, vous ne verrez plus sa robe qu'à travers taches et traînées.

La panse doit être large et se rétrécir un peu vers le haut. Emplissez-la seulement au tiers, pour que la surface du vin se trouve à l'endroit le plus large. Vous pourrez ainsi le faire tourner sans éclabousser votre cravate ou votre chemisier, afin de mieux en dégager les arômes. Ceux-ci, retenus en haut du verre, s'y concentreront et s'échapperont moins vite, vous laissant le temps d'en profiter.

Préférez une matière fine comme le cristal ou le semi-cristal.

LE FROMAGE

La France a le privilège de produire quelque quatre cents variétés de fromages. Et — privilège plus inestimable encore — elle offre des fromages fermiers au lait cru. Vivants, ils évoluent, s'affinent et mûrissent comme un beau fruit. Leur fabrication requiert beaucoup de connaissances et de passion de la part du fermier et de l'affineur. Pour bien comprendre leur richesse, il faut avoir observé mes amis Édouard et Robert Ceneri, de la *Ferme savoyarde* à Cannes, tandis qu'ils suivent l'évolution de leur « récolte » venue de toute la France. Ils parlent de leurs fromages avec des mots inventés pour eux, et qui ressemblent à des mots d'amour.

Je trouve les meilleurs fromages fermiers chez mes amis Robert et Édouard Ceneri, à la Ferme savoyarde *à Cannes. Ils les affinent eux-mêmes dans cette cave.*

Ma tante Célestine faisait attendre ses fromages dans un garde-manger bien aéré et placé à l'ombre, grillagé pour les protéger des insectes.

En revanche, n'attendez rien des fromages dits laitiers, au lait cuit ou pasteurisé, produits inertes dont le goût, déterminé une fois pour toutes dès l'usine, ne fait que se déprécier avec le temps (s'il peut vraiment s'affadir encore).

Le fromage doit être servi, à mon avis, avec du pain (pain de campagne grillé, pain aux noix ou aux raisins), pas avec des crackers ou autres biscuits. Vous pouvez le déguster avec une salade (mais peu vinaigrée), et même avec certains fruits : noix, pommes, poires, raisins... Servez par exemple une poire williams avec un vacherin : vous m'en direz des nouvelles !

Sortez les fromages du froid au moins trente minutes avant de les servir, sans les déballer : ils doivent être mangés à peine plus frais que la température ambiante. Mieux vaut les disposer sur le plateau au dernier moment. Si vous préférez le préparer à l'avance, recouvrez-le d'un film plastique ou d'un torchon légèrement humide.

Équilibrez le plateau pour que chacun y trouve son plaisir : mettez-y un fromage de chèvre, un fromage de vache, un fromage de brebis et un bleu. Variez pâtes cuites et pâtes molles, fromages frais et fromages secs...

LES FLEURS

L'art floral se rapproche de l'art culinaire : nous avons le même fournisseur, le soleil, et les mêmes produits puisés au jardin.

Denise, mon épouse, dirige avec talent la décoration du Moulin de Mougins. Il lui arrive de mettre en bouquets des brins de plantes aromatiques telles que le thym fleuri de rose, le romarin aux corolles bleues, la blanche sarriette : ils embaument la table d'arômes « comestibles ».

Elle utilise aussi le laurier-sauce pour son feuillage vernissé, la sauge veloutée, la menthe, le basilic au chaud parfum, l'estragon au feuillage rampant, et des branches d'olivier ou d'arbres fruitiers avec, si possible, leurs fleurs ou leurs fruits : oranger, noisetier avec ses chatons ou ses fruits, verveine, lierre rampant, chêne avec ses glands, châtaignier avec ses bourres... pourront vous aider à vous exprimer. Suivez votre imagination en toute sincérité. Faites que ce bouquet exprime un peu de vous-même. Les pâquerettes cueillies par votre enfant sont souvent plus belles qu'une riche orchidée.

Toutefois, respectez quelques règles : évitez les parfums trop capiteux, comme celui des tubéreuses, à moins que la table ne soit très grande et que le bouquet reste loin du nez des convives. Évitez les bouquets trop gros et surtout trop hauts qui transforment les conversations en parties de cache-cache. Au pire, des vases hauts mais très étroits permettront à vos invités de se voir, même si les bouquets sont importants.

Essayez d'harmoniser les fleurs avec le thème de votre repas : si celui-ci se veut printanier, préférez des fleurs des champs à un bouquet de roses.

Mon épouse Denise puise son inspiration au jardin. Elle compose les bouquets qui fleurissent nos deux restaurants, le Moulin de Mougins et l'Amandier.

Si la table est trop petite, posez un bouquet sur une desserte ou sur un meuble proche. Ou, tout simplement, placez une fleur sur la nappe devant chaque assiette ou sur la serviette.

LA MUSIQUE

Elle met, si j'ose dire, la dernière note au raffinement de votre mise en scène. A condition de ne l'entendre qu'en sourdine, pour ne pas gêner les conversations. Et de plaire à tous : musique ou jazz classiques font en général l'unanimité, n'allez pas chercher plus loin.

LE CAFÉ ET SES COMPAGNONS DE FIN DE REPAS

Ne négligez pas le moment du café. N'omettez jamais d'en proposer et restez dans la ligne de haute qualité que vous avez suivie tout au long du repas. Soignez aussi ses compagnons naturels : eaux-de-vie et liqueurs, cigares et, pourquoi pas, chocolats.

Préparez tout à l'avance sur un plateau : tasses, soucoupes, cuillers, cafetière, pot de crème, petites serviettes, sucrier... Préférez le sucre en poudre pour ne pas « casser » la crème. Et, surtout, ne sucrez pas trop votre café. Les mélanges les plus doux et les plus parfumés se passent même très bien de sucre.

Sur un autre plateau, disposez verres à liqueur et bouteilles d'alcool. Laissez les alcools blancs et leurs verres au froid jusqu'au dernier moment.

Quand vous débouchez pour la première fois une bouteille d'alcool, laissez-la s'aérer plusieurs heures avant la dégustation, afin d'en faire évaporer les éthers qui causent des picotements d'yeux et de nez. Préparez aussi la boîte à cigares, le coupe-cigares, les allumettes... et les cendriers.

Mais ne préparez surtout pas le café ! Attendez le dernier moment, son arôme s'envolerait. Et n'oubliez pas de passer la cafetière à l'eau bouillante avant de la remplir.

N'hésitez pas à réveiller cette fin de repas en offrant un café insolite. En voici quelques recettes :

Les ingrédients d'un café-brûlot réunis autour d'une tasse créée par Jean Dufy en 1921. (Recette de ce café doux-amer en page suivante.)

Le café-brûlot

Pour 6 personnes. Concassez dans le bol du robot à hélice 1/2 bâton de cannelle, 6 clous de girofle, les zestes d'1 citron et d'1 orange en fines lamelles, et 3 morceaux de sucre. Mêlez à 12 cl de fine cognac et 3 cl de curaçao dans une petite casserole. Chauffez à feu vif. Dès que l'alcool frémit, flambez (éloignez-vous de la hotte, dont le filtre peut prendre feu) en tournant avec une très longue cuiller, jusqu'à dissolution du sucre. Versez peu à peu 5 dl de café très fort et très chaud en tournant toujours jusqu'à ce que le feu s'éteigne.

* Ce café-brûlot a été rendu célèbre par le restaurant Brennan's de La Nouvelle-Orléans. Le petit-fils de son fondateur est venu passer trois mois dans les cuisines du Moulin de Mougins, et c'est à lui que je dois de connaître le secret de sa préparation.

Le café royal

Par personne. Poudrez le fond d'une assiette d'une couche de sucre glace. Préparez le café. Frottez une languette de zeste de citron (côté blanc) sur le bord d'un verre épais, retournez le verre sur le sucre glace pour le faire adhérer au bord humide. Pressez 2 autres zestes au-dessus du verre pour y faire tomber les mini-gouttelettes d'essence. Laissez tomber les zestes au fond. Placez une cuiller dans le verre pour l'empêcher d'éclater à la chaleur.

Chauffez 4 cuil. à s. de cognac dans une petite louche placée au-dessus d'une flamme, versez-le dans le verre. Flambez. Dès que le feu s'éteint, versez le café chaud, servez et dégustez.

Le café irlandais

Par personne. Mettez 2 morceaux de sucre dans un verre épais à pied. Emplissez de café noir brûlant jusqu'à 1,5 cm du bord. Ajoutez 2 ou 3 cuil. à s. de whiskey, remuez. Versez délicatement, sur le dos d'une cuiller, de la crème légèrement fouettée : elle doit se déposer en surface sans couler.

Le café « Bistouille »

Par personne. Mettez 1 sucre et 1 pincée de cannelle en poudre dans une tasse à café chaude. Ajoutez 2 cuil. à s. de marc (ou de calvados), emplissez de café chaud. Servez très chaud.

On se plaint beaucoup de ce que les enfants d'aujourd'hui mangent n'importe quoi, et l'on déplore que leur goût ne soit pas éduqué. Alors, surtout, ne les chassez pas de la cuisine ! J'aime beaucoup cuisiner avec ma petite Cordélia, qui a seize ans. Depuis son plus jeune âge, elle a pris plaisir à être avec moi dans la cuisine, et je fais le maximum pour qu'elle garde cette heureuse passion. Nous inventons des plats ensemble. J'en crée pour elle à la mesure de ses goûts et de ses appétits : elle en imagine pour moi et me donne de judicieux conseils.

Cordélia adore faire la pâtisserie. Elle m'a d'ailleurs confié, quand elle avait cinq ou six ans, qu'elle serait pâtissière.

Un jour où elle faisait des tartelettes, la pâte étant bien façonnée dans chaque petit moule, je l'ai vue tartiner de miel le fond de ces moules, puis les poudrer de sucre fin. Comme je lui demandais pourquoi elle avait mis du miel avant le sucre, elle m'a répondu, surprise par mon ignorance : « Eh bien ! C'est pour faire tenir le sucre. » N'est-ce pas logique ?

Donnez donc aux enfants une part de responsabilité. Vous n'aurez qu'à vous en réjouir plus tard. Dans le passé, la famille vivait dans la même pièce, près de l'âtre où frémissait la marmite. Les traditions et les recettes se transmettaient ainsi de génération en génération. Toute jeune fille savait naturellement ce qu'étaient une soupe, un sauté, une tarte… Bien que je ne sois pas une jeune fille, je dois à cette tradition et à ma tante Célestine ma vocation de cuisinier. Celle-ci m'avait acheté, pour mes cinq ans, un petit banc sur lequel je me hissais pour regarder ce qui mijotait dans les casseroles. Oh, je ne l'aidais pas beaucoup, je la gênais même sans doute un peu. Mais elle savait qu'ainsi elle me faisait découvrir le monde merveilleux de la cuisine.

Confiez à vos enfants mille petites tâches qui les rendront fiers de vous aider, et qui en feront des adultes au bon goût déjà formé.

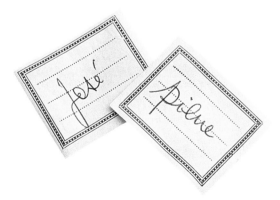

LES HERBES
DE PROVENCE

~

La soupe à la farigoulette
La fricassée de moules au fenouil
La glace à la lavande avec les petits pains d'anis

~

Après la cueillette matinale dans la garrigue et au jardin, une récolte de senteurs sauvages qui vont sublimer la cuisine !

J'ai l'habitude, lors de mes promenades dans la campagne provençale, de laisser mes mains frôler les herbes devant lesquelles je passe. Parfois, j'en casse une et je l'enfonce dans ma poche. Romarin, sarriette, fenouil, lavande... y composent en secret de riches bouquets d'odeurs. Je plonge ma main au fond de ma poche, et je frotte les brins ensemble. Puis je respire ce parfum sur ma peau. Je me sens alors tout près de ce sol que j'aime, j'ai l'impression de m'y fondre, de me l'approprier.

Une fois, quelques fleurs de lavande se sont ainsi collées sur un bonbon au miel oublié là. J'ai doucement sucé cette trouvaille, et l'arôme qui m'a envahi le nez et la bouche ressemblait très fort au bonheur... C'est ainsi que m'est venue l'idée de parfumer avec du miel la délicieuse glace à la lavande dont je vous confie la recette. Laissez donc, parfois, un bonbon au miel traîner dans votre poche... et il vous viendra sûrement d'étranges idées gourmandes.

Il m'arrive souvent de verser dans mes plats une poignée de ces herbes sauvages, comme dans la soupe à la farigoulette : nous appelons ainsi le thym qui foisonne dans nos garrigues. Quand tu la sens, tu entends chanter les cigales !

J'ai si bien appris à humer tous les végétaux à la recherche de plaisirs nouveaux, qu'à ma passion pour le serpolet, la sauge, la menthe, la marjolaine,

Le vin d'orange se déguste à la température de la pièce.

le laurier ou le basilic, j'en ajoute de plus insolites : par exemple, avez-vous déjà posé votre nez sur les feuilles de l'olivier ou du figuier ? Laissez-vous attirer par celles qui apparaissent en même temps que les figues sauvages, au milieu de la touffe de chaque branche. Ce sont celles-là qu'il faut cueillir. Quand vous ferez rôtir une belle volaille dans une cocotte en fonte, laissez-la bien dorer puis couvrez-la de ces feuilles tendres. Fermez la cocotte pour finir de cuire à feu doux... et vous comprendrez tout.

A l'apéritif : vous pouvez réaliser ce joli vin d'orange. C'est un apéritif traditionnel en Provence, qui convient avant tous les repas marqués par notre terroir. Ses parfums épicés annonceront très bien ce menu aux herbes. Mettez dans un bocal 3 oranges amères en quartiers, 10 grains de poivre, 1 gousse de vanille, 1/2 bâton de cannelle, 1 l de vin rosé et 25 cl de cognac. Laissez macérer 20 jours à l'ombre au frais. Ajoutez 200 g de sucre. Attendez 10 jours. Filtrez, embouteillez.

La soupe à la farigoulette
~

Au marché : *La farigoule ou farigoulette est du thym sauvage. A défaut, prenez du thym bien frais.
*La crème fleurette est une crème fraîche assez liquide pour « monter » facilement en chantilly. Les crèmes liquides longue conservation, présentées en briquettes, conviennent bien.

Quelques heures à l'avance : faites cuire les archichauts à l'eau bouillante salée (7 g par l) 45 min environ, jusqu'à ce que les feuilles se détachent (commencez à les surveiller après 30 min).

Pendant ce temps, coupez 1/2 baguette en fines rondelles. Grillez-les au grille-pain.
Émincez finement l'oignon. Chauffez l'huile dans une grande casserole. Jetez-y l'oignon, laissez-le s'attendrir à feu doux. Avant qu'il ne dore, versez 1 l d'eau, salez. Montez le feu à vif. Au premier bouillon, ajoutez le riz, le persil et la farigoulette (gardez-en 6 brins pour décorer). Mijotez à feu doux 30 min environ, jusqu'à ce que le riz éclate.

Préparation : 25 min
Cuisson : 50 min

Facile
Économique

Pour 6 personnes
2 gros artichauts ou
5 petits artichauts violets
1 gros oignon blanc
1 bouquet de persil plat ficelé
1 bouquet de farigoulette ficelé
50 g de riz rond
1/2 baguette de pain
25 cl de crème fleurette très froide
5 cuil. à s. d'huile d'olive
Sel, poivre

La soupe à la farigoulette entourée de ses ingrédients et accompagnée de ses croûtons.

Lorsque les artichauts sont cuits, égouttez-les, détachez les feuilles. Grattez la pulpe des plus grosses avec une cuiller. Sucez tranquillement les plus petites (et pourquoi pas ? C'est si bon !) tandis que vous ôtez le foin et que vous dégagez les fonds. Mettez ceux-ci, avec la pulpe prélevée, dans la soupe cuite. Donnez un bouillon, retirez persil et farigoulette. Mixez pour obtenir un velouté.

Versez la crème fraîche dans un grand saladier bien froid ; fouettez au fouet électrique. Arrêtez dès qu'elle tient au fouet sans couler.
* Si vous préparez ce plat à l'avance, gardez la crème et la soupe au froid.

Juste avant de servir : donnez un bouillon à la soupe. Mettez à point de sel et de poivre. Versez-la dans une belle soupière. Faites tomber la crème fouettée dessus. Portez aussitôt à table. Mélangez avec la louche.

Présentez à part les rondelles de baguette grillées.

Mon conseil-vin : avec une soupe, on peut se passer de vin. Si vous tenez à emplir les verres, vous réussirez un joli mariage de parfums avec un cassis blanc, rafraîchi à 8-10 °C.

Pour que la soupe soit excellente, choisissez des artichauts bien frais. Moi, j'ai un faible pour nos petits artichauts violets de Provence.

Une symphonie de tons chauds apportés par les œufs, le safran, la carotte et le poivron, renforce l'appétissante robe orangée des moules. Le persil jette sur le tout sa note de fraîcheur (page de gauche).

La fricassée de moules au fenouil

~

Au marché : *Les moules, autrefois, étaient toujours vendues au litre. Aujourd'hui on les achète plus souvent au kilo. Comptez 1 l = 750 g, soit 1,5 kg pour 2 l. Choisissez-les très fraîches, c'est-à-dire bien fermées ; rejetez sans pitié celles qui bâillent. Gardez-les au plus 24 h dans le bac à légumes du réfrigérateur (plus froid, vous les feriez mourir).
* La crème fleurette est de la crème fraîche plutôt liquide. Vous

Un menu aux herbes de Provence enrichi de côtes de veau au pastis (voir page 148) et servi devant la maison de mon ami César (double page suivante).

Préparation : 45 min
Cuisson : 30 min en tout

Facile
Économique

Pour 6 personnes
2 l de moules de bouchot
3 petites carottes
1 poivron rouge
1 pied de fenouil frais
3 cuil. à s. de persil haché gros
1 bouquet garni :
1 brin de thym,
1 feuille de laurier
et quelques brins de persil
1 pincée de safran
6 jaunes d'œufs
3 dl de crème fleurette
9 cuil. à s. d'huile d'olive
Sel, poivre

la trouverez sous forme de crème longue conservation, en briquettes de carton.

Quelques heures à l'avance : lavez et brossez les moules à 3 ou 4 eaux très froides. Arrachez les « barbes ». Chauffez 6 cuil. à s. d'huile dans un faitout. Jetez-y les moules et le bouquet garni. Couvrez, laissez cuire quelques minutes à feu vif en remuant de temps à autre. Quand toutes les moules sont ouvertes, ôtez le faitout du feu.

Pelez carottes, poivron et fenouil. Taillez-les en fins bâtonnets. Chauffez cette julienne dans une sauteuse avec 3 cuil. à s. d'huile d'olive, 6 cuil. à s. d'eau et 1 pincée de sel. Laissez cuire 10 min environ à feu fort : l'eau doit être complètement évaporée.

Pendant ce temps, prélevez les moules à l'écumoire. Séparez les coquilles : jetez les valves vides, disposez celles qui portent le mollusque sur le plat de service. Répartissez les légumes dessus. Couvrez d'une feuille d'aluminium, gardez au chaud.

Filtrez le jus du faitout au-dessus d'une casserole, à travers une passoire fine. Arrêtez-vous avant la fin : le fond risque d'être sableux ! Gardez au froid.

Dans un bol, mêlez au fouet les jaunes d'œufs, la crème et le safran. Gardez au froid.

25 minutes avant de servir : préchauffez le four à 200 °C (thermostat 6). Enfournez 10 min le plat de moules toujours couvert d'aluminium.

Portez le jus à ébullition sur feu vif, versez-le sur le mélange « crème-jaunes d'œufs » en remuant sans cesse. Reversez dans la sauteuse de la julienne, portez sur feu doux en remuant toujours. Ne laissez pas bouillir ! Dès que la sauce épaissit, ôtez du feu. Mettez à point de sel et de poivre, répartissez sur les moules. Parsemez de persil, servez aussitôt.

Mon conseil-vin : si vous avez servi du vin avec la soupe, pourquoi ne pas continuer avec le même (cassis blanc) ? Ou optez pour un élégant côtes-du-rhône : un hermitage blanc, sec mais ample et rond. Rafraîchissez-le à 8-10 °C, surtout pas plus froid, pour ne pas abîmer ses parfums d'épices et de fruits secs !

La glace à la lavande
avec les petits pains d'anis

~

Au marché : * La lavande : prenez du lavandin frais ou sec, de la fleur de lavande, voire du sucre parfumé à la lavande, mais surtout pas de cette lavande en sachet que l'on met dans les armoires pour parfumer le linge : elle contient un parfum-base qui la rend impropre à la consommation.
* L'anis vert se trouve dans les épiceries de luxe, ou tout simplement… chez votre pharmacien !
* La crème fleurette est de la crème fraîche plutôt liquide. Vous la trouverez en petites briques de carton, sous forme de crème longue conservation.

La glace à la lavande

La veille ou 6 heures à l'avance : faites un sucre de lavande. Pour cela, mixez ou pilez les fleurs de lavande au mortier pour les réduire en poudre, mêlez-les au sucre. Faites-le fondre dans le lait.

Mélangez les jaunes d'œufs avec la crème fleurette. Ajoutez le lait sucré, filtrez le tout dans une passoire fine. Versez dans votre sorbetière.

Lorsque la glace est prise, formez 12 boules avec la cuiller à glace ou 12 quenelles avec 2 cuil. à s. trempées dans l'eau tiède : prenez d'abord une bonne cuillerée de glace. Posez l'autre

Préparation : 50 min en tout
Cuisson : 15 min en tout

Facile
Économique

Pour 6 personnes
Pour la glace
1 cuil. à dessert de fleurs
de lavande
200 g de sucre en poudre
8 jaunes d'œufs
25 cl de crème fleurette
25 cl de lait
(Prévoir une sorbetière)
Pour les petits pains d'anis
10 g d'anis vert en grains
250 g de farine
250 g de sucre en poudre
2 ou 3 blancs d'œufs
50 g de beurre
Sel

*Osez la couleur :
une assiette bleue
évoque la
fraîcheur de la
glace à la lavande
et fait ressortir sa
teinte ensoleillée.*

cuiller par-dessus et tournez-la sur elle-même pour y prendre
la glace. En opérant ainsi plusieurs fois, vous formerez une belle quenelle. Placez-en deux par coupe à glace ou par petit bol.
Gardez-les au congélateur.

Au moment de servir : posez chaque bol sur une petite assiette
décorée d'un napperon de papier dentelle et d'un brin de lavande.

Mon idée-décor : givrez les brins de lavande à placer sur
l'assiette. Mouillez-les, puis roulez-les dans du sucre en
poudre, laissez sécher sur une assiette poudrée de sucre.

Improvisez ! Dans cette recette, vous pouvez remplacer le sucre par 2 cuil. à s. de miel de lavande.

Les petits pains d'anis

La veille ou plusieurs heures à l'avance : dans une grande terrine, mêlez la farine, le sucre, les grains d'anis et 1 pincée de sel. Battez les blancs d'œufs à la fourchette jusqu'à ce qu'ils forment une mousse encore molle (ne les montez pas en neige).

Versez la valeur de 2 blancs dans la farine sucrée. Pétrissez. Vous devez obtenir la consistance d'une pâte brisée un peu épaisse. Au besoin, ajoutez tout ou partie des blancs restants. La pâte est collante. Farinez vos mains, mettez-la en boule, enveloppez-la d'un film plastique, laissez reposer au moins 1 h au froid.

Préchauffez votre four à 180 °C (thermostat 4). Farinez le plan de travail et le rouleau à pâtisserie, étalez la pâte sur 8 mm d'épaisseur. Découpez les petits pains en une vingtaine d'ovales, de préférence avec un emporte-pièce. Rangez-les sur une plaque beurrée (ou antiadhésive).

Dessinez des chevrons sur les petits pains avec la pointe d'un couteau. Otez l'excédent de farine en brossant la surface avec un pinceau. Enfournez 15 min environ.

Décollez avec une spatule, laissez refroidir sur une grille. Rangez ces petits gâteaux croquants dans un récipient hermétique ; ils se conservent plusieurs jours.

Au moment de servir : complétez la présentation de la glace à la lavande avec un petit gâteau par assiette. Présentez les autres sur un joli plat, chacun se servira.

Mon idée-saveur : les petits pains d'anis sont délicieux avec... un bon melon bien mûr. Essayez donc !

Un Déjeuner
sous la Tonnelle

~

La salade de langouste au beurre d'orange
La fondue de gigot aux aubergines et la compote niçoise
Les crêpes au miel et aux pignons de Provence

~

Un rêve de gastronome par jour de grande chaleur : un repas d'exception servi à l'ombre de la treille où, lentement, le raisin mûrit... (Chez Bernard Chevry, organisateur des grandes manifestations cannoises.)

Le Rendez-Vous des sportifs, à Nice, n'est pas de ces restaurants solennels qui attirent les gastronomes du monde entier, ni un temple moderne de la cuisine à sensation. Marinette y sert une cuisine simple, saine, parfumée... et pantagruélique.

Obtenir une recette de Marinette est beaucoup plus compliqué que de manger ses plats ! Non qu'elle veuille protéger ses secrets, mais sa cuisine lui semble si simple qu'elle considère que tout le monde peut la faire spontané-ment, comme elle.

Voici par exemple comment elle m'a expliqué la recette de sa pissaladière : « Oh ! c'est bien facile. Vous prenez un peu d'eau tiède, de l'huile d'olive, du sel, du poivre et des petits paquets de levure de boulanger, vous savez, celle qui est en cubes. Vous prenez aussi de la farine. Vous écrasez la levure, vous mélangez... et voilà !

— Mais Marinette, en quelles quantités tout ça ? »

Elle m'a regardé avec l'air de se demander si j'étais vraiment cuisinier. Quelles quantités ? Elle n'a jamais pesé ni mesuré un ingrédient. Elle fait la cuisine, pas des mathématiques. Ces grands chefs ont de ces idées !

Et voilà pourquoi je sais faire une fricassée de homard, mais je ne sais toujours pas faire la pissaladière à la façon de Marinette. Et je le regrette bien. Je me rattrape en composant des plats de grande cuisine avec les produits les plus simples qui embaument mon terroir : aubergine, courgette, thym, tomate, artichaut, miel, agneau de nos maquis... Tout cela figure dans ce menu au goût de soleil...

A l'apéritif : afin de bien préparer les palais à toutes les nuances de ce menu de haute volée, offrez un cocktail à ma façon : versez dans un beau pichet de verre glacé 8 cuil. à s. de jus d'orange, 5 cuil. à s. de liqueur à base d'orange, 5 cuil. à s. de sirop de sucre et quelques gouttes d'angostura. Au dernier moment, versez 1 bouteille de champagne ou de vin blanc sec et ajoutez quelques rondelles d'orange pelée à vif.

Les crustacés de la Méditerranée, les herbes, les fruits et les légumes de notre terroir sont faits pour s'aimer dans notre cuisine.

La salade de langouste
au beurre d'orange
~

Au marché : * L'artichaut violet de Provence est celui que je préfère. On le consomme jeune et petit, quand le foin est encore peu développé. Cassez la queue au ras des feuilles : la brisure est nette quand il est bien frais, et les radicelles fibreuses partent avec la queue.

* La salade mélangée peut comprendre trévise, mâche, frisée, romaine, scarole… L'idéal serait de trouver un vrai mesclun provençal de paysan, qui mêle de jeunes pousses tendres de ces mêmes salades avec des petites feuilles de salades rares et d'herbes : roquette, cerfeuil, barbe-de-bouc, pourpier, etc.

* La langouste peut devenir du homard. En tout cas, vous avez intérêt à les commander à l'avance chez le poissonnier, et à ne les accepter que vivants.

Plusieurs heures à l'avance : mettez à bouillir 4 l d'eau salée.

Cassez les queues au ras des artichauts. Lavez-les à l'eau froide, plongez-les dans l'eau bouillante. Couvrez, laissez bouillir 20 min. Tirez sur une feuille : elle doit se détacher facilement, sinon poursuivez la cuisson.

Pendant ce temps, lavez la salade.

Faites bouillir 1 l d'eau, plongez-y les tomates quelques secondes. Refroidissez-les sous le robinet, pelez-les. Coupez-les en deux par le travers, pressez-les doucement dans la main pour extraire les pépins. Détaillez la chair en petits cubes, rangez-les sur une grande assiette.

Quand les artichauts sont cuits, égouttez-les, pointes des feuilles vers le bas. Effeuillez-les, ôtez le foin. Émincez les fonds en fines tranches avec un couteau inoxydable. Mettez de côté avec les cubes de tomate.

Préparation : 55 min
Cuisson : 40 min

Un peu difficile
Coûteux

Pour 6 personnes
3 langoustes de 500 g ou
1 grosse de 1,5 kg (ou même
poids de homard)
6 petits artichauts violets
3 poignées de salades
mélangées
3 tomates moyennes
bien mûres
3 oranges
6 pincées de feuilles
de cerfeuil
1 bouquet garni : 1 feuille
de laurier, 1 brin de thym,
quelques queues de cerfeuil,
2 brins de persil
180 g de beurre
Sel, poivre

La salade telle que je la présente : une disposition recherchée amplifie toujours le pouvoir de séduction d'une recette.

Chauffez 4 l d'eau bien salée avec le bouquet garni. Au premier bouillon, jetez-y les langoustes vivantes. Couvrez, laissez bouillir 8 à 10 min après la reprise de l'ébullition.

Pendant ce temps, pelez les oranges à vif. Prélevez 12 quartiers en glissant un couteau aiguisé le long des membranes qui les séparent, jusqu'au centre. Récupérez le jus qui s'écoule. Versez-le dans une casserole. Pressez le jus des 2 autres oranges, ajoutez-le. Faites réduire à feu moyen jusqu'à ce qu'il n'en reste que 2 cuil. à s. Mettez de côté.

Quand les langoustes sont cuites, séparez les têtes des queues. Coupez celles-ci sur la longueur du ventre avec des ciseaux de cuisine. Sortez la chair, détaillez-la en fines tranches. Sortez aussi la chair des pinces. Gardez tout cela au frais, mais pas au réfrigérateur.

30 minutes avant de servir : préchauffez le four à 190 °C (thermostat 5).

Disposez les feuilles de salade égouttées, séchées, sur 6 assiettes tièdes. Rangez dessus les tranches d'artichaut en éventail. Puis répartissez les cubes de tomate, 2 quartiers d'orange par assiette et les tranches de langouste, en les faisant se chevaucher. Salez et poivrez légèrement.

Réchauffez le jus d'orange. Jetez-y le beurre bien froid coupé en petits morceaux, en 3 ou 4 fois et en fouettant fort sur feu vif. Dès que la sauce est liée, ôtez du feu, mettez à point de sel et de poivre.

Enfournez les assiettes 2 à 3 minutes, juste pour tiédir l'ensemble. Versez le beurre d'orange chaud sur les 6 assiettes. Semez le cerfeuil. Servez aussitôt.

Mon tour de main : pour peler l'orange à vif, coupez la peau en haut et en bas du fruit en allant jusqu'à la pulpe. Posez-la debout sur une planche, coupez la peau par bandes de haut en bas, en mordant sur la chair.

Improvisez ! Pour rendre ce plat délicieux plus économique, remplacez la langouste ou le homard par du tourteau, de l'araignée, voire de la langoustine...

Mon conseil-vin : c'est le moment de déboucher un grand vin blanc ! Choisissez un hermitage (Côtes-du-Rhône Nord) ou un pouilly-fuissé (Bourgogne). Servez-le bien frais (vers 8-10 °C), mais pas trop froid pour ne pas lui « casser le nez », c'est-à-dire étouffer ses arômes.

La fondue de gigot aux aubergines

~

Cette recette paraîtra sans doute un peu longue, mais elle fait partie du répertoire du Moulin et beaucoup d'amis me l'ont demandée. Et puis, elle peut se préparer à l'avance et se réchauffe très bien. Courage, ça vaut la peine !

Au marché : * Céleri en branches ou rave, peu importe : c'est le poids qui compte, et la fraîcheur... pour avoir un joli parfum !
* Dans la sauce, versez un vin rouge corsé mais pas trop cher, par exemple un côtes-du-rhône générique ou d'appellation Villages.
* La crème fleurette est de la crème fraîche assez liquide. La crème longue conservation qu'on trouve en briquettes de carton convient bien.

La veille ou le matin : demandez au boucher de vous désosser le gigot, sans tailler dans les chairs, et de vous le donner séparé en morceaux : les 3 noix (les plus jolies pièces), les petits morceaux de viande parés (dégraissés, débarrassés des membranes), et les parures (os, peau...). Gardez les petits morceaux à l'endroit le plus froid du réfrigérateur, avec la crème fleurette : ils doivent être glacés quand vous les utiliserez.

Préparation : 1 h 30
Cuisson : 1 h

Difficile
Assez coûteux

Pour 10 personnes
1 gigot d'agneau de 2 kg
2 belles aubergines
400 g de tomates
100 g de carottes
100 g d'oignons
20 g de céleri
3 gousses d'ail
1 bouquet garni :
4 ou 5 branches de persil,
3 brins de thym,
2 feuilles de laurier
Suite page 48

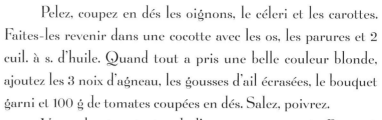

10 cuil. à s. de crème
fleurette

5 dl de vin rouge corsé

1 cuil. à s. de Maïzena

4 cuill. à s. d'huile d'olive

2 cuil. à s. d'huile

Sel, poivre, muscade

Quand vous avez la chance d'en trouver, n'hésitez pas à utiliser l'oignon doux des Cévennes, à la douce chair nacrée...

Pelez, coupez en dés les oignons, le céleri et les carottes. Faites-les revenir dans une cocotte avec les os, les parures et 2 cuil. à s. d'huile. Quand tout a pris une belle couleur blonde, ajoutez les 3 noix d'agneau, les gousses d'ail écrasées, le bouquet garni et 100 g de tomates coupées en dés. Salez, poivrez.

Versez le vin, ajoutez de l'eau pour recouvrir. Portez à ébullition, couvrez, mijotez 1 h sur feu doux ou au four préchauffé (180 °C, thermostat 6). (Pendant ce temps, vous pouvez commencer la compote niçoise.)

Sortez toute la viande de la cocotte, mettez-la au froid. Filtrez le reste à travers une passoire fine au-dessus d'une casserole. Faites réduire à feu moyen jusqu'à ce qu'il ne reste que 75 cl de sauce. Otez à la louche les graisses qui remontent sur les bords et en surface. Délayez 1 cuil. à s. de Maïzena dans un peu d'eau ; versez en fouettant dans la sauce bouillante. Otez du feu dès qu'elle est liée.

Dans le bol d'un robot à hélice, mixez en purée les petits morceaux de gigot crus très froids avec sel, poivre et 1 grosse pincée de muscade. Versez doucement la crème fraîche glacée. Quand le tout forme une mousse, mettez au froid.

Préchauffez le four à 200 °C (thermostat 6). Coupez les aubergines en rondelles de 5 mm, sans les peler. Badigeonnez d'huile d'olive la plaque du four, rangez les rondelles bien à plat, salez légèrement. Si besoin, utilisez une seconde plaque ou faites deux fournées. Enfournez 10 à 15 min, le temps de ramollir les aubergines. Gardez au froid.

Ébouillantez les tomates quelques secondes. Refroidissez-les sous le robinet, pelez-les. Coupez-les en deux, pressez-les dans la main pour extraire les pépins. Concassez la chair. Mettez-la dans une casserole avec 2 cuil. à s. d'huile d'olive, sel et poivre. Faites-lui rendre toute son eau à feu vif. Mettez au froid.

Quelques heures avant de servir : huilez légèrement 10 ramequins de 8 cm de diamètre et 4 à 5 cm de haut.

Sortez tous les produits du froid. Garnissez les ramequins : appliquez au fond et contre les bords des tranches d'aubergines ; tartinez-les d'un peu de farce d'agneau. Découpez les noix en tranches de 5 mm d'épaisseur, un peu plus étroites que le moule ; disposez une tranche sur le fond d'aubergines, puis une couche de tomates concassées, puis une couche d'aubergines, encore un peu de farce, une dernière tranche d'agneau et terminez avec le reste de farce. Gardez au froid.

30 minutes avant de servir : préchauffez le four à 180 °C (thermostat 4).

Rangez les moules dans un plat à four. Enfournez. Versez de l'eau très chaude jusqu'en haut du plat. Laissez cuire 30 min.

Réchauffez la sauce à feu doux.

La tomate-cerise piquée de laurier ajoute une grande impression de fraîcheur.

Au moment de servir : retournez les moules sur les assiettes, nappez de sauce.

Mon idée-décor : posez donc sur chaque fondue 1 tomate cerise et 1 feuille de laurier !

Improvisez ! * Quand j'ôte la sauce du feu juste après l'avoir préparée, j'aime y ajouter, pour changer, quelques feuilles de basilic ciselées ou une pointe d'ail.
* Si vous êtes moins de dix à table, préparez quand même tous les ramequins. Ceux qui sont en trop n'iront pas au four et, couverts d'un film plastique, attendront le lendemain au réfrigérateur, pour être cuits et dégustés à leur tour !

Mon conseil-vin : régalez-vous avec un vin rouge corsé, comme un châteauneuf-du-pape ou une côte-rôtie. Servez-le à peine plus frais que chambré (vers 14-15 °C).

La compote niçoise

~

Préparation : 30 min

Cuisson : 1 h

Facile

Économique

Pour 6 personnes

4 aubergines

3 courgettes moyennes

1 gros oignon

1 poivron rouge

3 gousses d'ail

12 feuilles de basilic

2 cuil. à s. de fleurs de thym

1 dl d'huile d'olive

Sel, poivre

La veille ou quelques heures à l'avance : pelez les aubergines au couteau économe. Pelez les courgettes dans la longueur en retirant une bande de peau sur deux. Débitez aubergines et courgettes en tranches de 2 mm d'épaisseur, en coupant légèrement en biais.

Pelez l'oignon, émincez-le finement. Faites-le fondre dans une casserole à feu doux avec 3 cuil. à s. d'huile d'olive.

Préchauffez le four à 250 °C (thermostat 10).

Coupez le poivron en deux, égrainez-le, taillez-le en fines lanières. Ajoutez-le à l'oignon, laissez cuire 20 min à feu doux.

Étalez le poivron et l'oignon mêlés au fond d'un plat à four. Alternez dessus une couche d'aubergines, puis une couche de courgettes, et ainsi de suite jusqu'à ce que le plat soit plein.

Épluchez, hachez l'ail et les feuilles de basilic. Mélangez-les dans un bol au reste d'huile. Salez, poivrez, ajoutez 2 cuil. à s. de fleurs de thym. Arrosez la compote niçoise. Enfournez

Tout frais trouvés au marché, un panier d'ingrédients pour les recettes du déjeuner sous la tonnelle.

15 à 20 min. Baissez la température à 160 °C (thermostat 3), tassez les légumes pour faire remonter le jus. Laissez encore cuire 40 à 45 min. Le tout doit compoter, colorer et toute l'eau des légumes doit s'évaporer.

* Vous pouvez servir aussitôt. Mais, si vous avez préparé ce plat la veille, gardez-le au froid.

20 minutes avant de servir : réchauffez à four moyen. Présentez avec la fondue de gigot.

Les crêpes au miel
et aux pignons de Provence

~

Au marché : * Le miel : je préfère un miel crémeux de lavande ou de romarin.

* Le beurre : 30 g suffiront, au lieu de 60 g, si vous utilisez des poêles antiadhésives.

* Les pignons de pin, encore difficiles à trouver il y a quelques années, sont aujourd'hui présents dans tous les rayons de fruits secs, même en grandes surfaces.

Plusieurs heures à l'avance : préparez la pâte. Chauffez 30 g de beurre à la poêle sur feu moyen jusqu'à ce qu'il prenne une belle couleur noisette.

Mixez la farine, les œufs, le sucre et le sel. Versez peu à peu, en mixant toujours, le lait et le beurre noisette, pour obtenir une pâte lisse. Filtrez-la dans une passoire fine au-dessus d'un saladier. Laissez-la reposer au moins 30 min.

Préparez le glaçage. Chauffez le miel à feu très doux, juste pour le liquéfier. Ôtez-le aussitôt du feu.

Mettez la crème fleurette très froide dans un saladier étroit et haut. Posez-le dans un saladier large garni d'eau et de

Préparation : 25 min
Cuisson : 20 min

Plutôt facile
ı Peu cher

Pour 6 personnes
Pour les crêpes
90 g de farine tamisée
2 œufs
25 g de sucre
2 dl de lait
60 g de beurre
1 pincée de sel
Suite page 53

glaçons. Fouettez 5 min environ au fouet électrique : la crème doit devenir très ferme et mousseuse. Incorporez peu à peu, en tournant de bas en haut au fouet à main, les jaunes d'œufs, le miel refroidi mais encore fluide et le pastis. Mettez au frais.

Grillez légèrement les pignons dans une poêle sans gras, sur feu moyen, en remuant souvent.

20 minutes avant de servir : chauffez à feu moyen 2 petites poêles d'environ 15 cm, badigeonnées de beurre (si elles ne sont pas antiadhésives). Versez au centre une petite louche de pâte bien remuée, en imprimant à la poêle un rapide mouvement circulaire pour étaler uniformément. Laissez dorer les crêpes 1 à 2 min de chaque côté ; retournez-les à la spatule. Faites ainsi 12 crêpes fines.

Étalez une couche de glaçage au fond d'un joli plat. Rangez dessus les crêpes pliées en quatre, en les faisant se chevaucher un peu. Répartissez le reste de glaçage, parsemez de pignons. Passez le plat sous le gril 1 à 2 min, juste le temps de blondir la surface.

Improvisez ! Je remplace parfois les pignons par des amandes effilées ou concassées, que je grille de la même façon.

Mon conseil-vin : dégustez donc un vieux banyuls rafraîchi à 12-13 °C. Ses parfums de fruits confits et d'épices épouseront pour le meilleur ceux de ce dessert !

Pour le glaçage
et la garniture
25 cl de crème fleurette
4 jaunes d'œufs
100 g de miel de fleur
Quelques gouttes de pastis
6 cuil. à s. de pignons
de pin

La récolte du miel
si parfumé
de la garrigue.

Si je l'avais inventé à temps, j'aurais souhaité partager ce dessert avec l'écrivain Jean Giono : il y aurait retrouvé les parfums de sa terre.

TUTTI FRUTTI

~

La petite soupe de melon glacée aux fraises des bois
La fricassée de poulet aux figues fraîches
La terrine de fruits à la crème d'amandes

~

Un repas de fruits servi parmi les fleurs... J'ai écrit le menu sur un carton découpé en forme de poire.

Avez-vous déjà croqué un poivron rouge charnu et juste cueilli ? Avez-vous planté vos dents dans une tomate mûrie à point sur son plant et encore chaude de soleil ? En sentant la pulpe fondante et le jus qui coule dans la gorge, on s'aperçoit que la douceur, le croquant et le parfum des légumes peuvent égaler ceux des meilleurs fruits mûrs.

Fruits et légumes, avant d'être frères d'étal, naissent de la même terre et se colorent aux mêmes rayons du soleil. Tous sont la source de la cuisine-vérité, celle qui tire sa force de la qualité des produits.

On comprend ainsi que, comme les légumes, certains fruits se marient avec les mets salés. Il faut seulement établir des dosages, des communions, de justes balances. Les recettes qui suivent illustrent cette vérité. J'ai bien sûr choisi des fruits qui naissent sur le sol de Provence.

A l'apéritif : mettez des fruits dans un cocktail ! C'est très vite fait : versez une bouteille de vin blanc bien frais (mâcon, sancerre) dans un joli pichet. Écrasez 100 g de framboises à travers une passoire fine, ajoutez la pulpe dans le vin avec 2 cuil. à s. de cognac et 4 cuil. à s. de crème de framboise. Dans des verres givrés, mettez des feuilles de menthe et quelques framboises. Versez dessus le cocktail bien frais.

Ce cocktail aux arômes ultra-frais (recette ci-contre) prépare le palais en toute élégance, pour profiter au mieux du menu qui suit (page suivante).

La petite soupe de melon glacée aux fraises des bois

~

Au marché : * Les melons : choisissez-les à la peau ridée et rugueuse, de préférence des charentais pour leur discret arôme de miel. Un bon melon doit être légèrement souple au toucher, du côté opposé à la queue. Ne reculez pas s'il se fend près de la tige : il sera d'autant plus gorgé de sucre.

Au moins 1 heure 30 avant le repas : mettez 6 petits bols au réfrigérateur.

Coupez les melons en deux, ôtez les graines à la cuiller. Avec une cuiller parisienne, prélevez des boules de chair. Placez-les dans un saladier recouvert d'un film plastique et mettez-les au réfrigérateur.

Récupérez les petits morceaux restants, mixez-les avec le vin, le sucre et le poivre pour obtenir un sirop. Couvrez d'un film plastique. Tenez au froid.

1 heure avant de servir : équeutez les fraises des bois mais surtout ne les lavez pas, vous les réduiriez en compote et perdriez du parfum.

Garnissez les petits bols glacés avec les boules de melon, nappez de sirop. Répartissez les fraises (ou les framboises) dessus. Remettez les bols au froid.

Au moment de servir : posez les bols sur des assiettes garnies de glace pilée ou décorées d'un napperon, ou encore de feuilles de fraisier. Posez un brin de menthe très fraîche en haut de chaque bol, servez.

Improvisez ! Cette recette fait une belle entrée d'été : on peut remplacer le melon charentais par un melon vert d'Espagne ou même une pastèque, à condition d'avoir de vraies fraises des bois ou des framboises bien parfumées.

Préparation : 25 min

Pas de cuisson

Facile

Pas trop cher

Pour 6 personnes

2 beaux melons

de 600 à 700 g

300 g de fraises des bois

ou de framboises

6 petits brins

de menthe fraîche

2 dl de vin blanc sec

50 g de sucre semoule

1/2 cuil. à c. de poivre

du moulin

Prévoir une cuiller

parisienne (en demi-sphère

coupante)

Une autre idée de présentation dans une assiette creuse.

La fricassée de poulet aux figues fraîches

~

Préparation : 40 min

Cuisson : 1 h

Pas très difficile

Pas trop cher

2 poulets de 1,5 kg

12 figues violettes bien mûres

200 g de riz

1 grosse tomate mûre

3 cuil. à s. d'échalote hachée

3 gousses d'ail

1 branche de céleri

3 dl de porto rouge

3 feuilles de laurier

2 cuil. à c. de coriandre

en poudre

200 g de beurre

1,5 cuil. à c. de fond de volaille

en poudre

Sel, poivre

Au marché : * Demandez au volailler de couper les volailles en 6, soit 2 ailes, 2 hauts de cuisse et 2 pilons. Faites-vous donner à part ailerons, cous et carcasses.

* Le riz doit être du riz long grain. Choisissez-le parfumé, comme le riz basmati par exemple.

* Le fond de volaille en poudre se trouve maintenant en grandes surfaces, au rayon des aides culinaires.

24 heures à l'avance : mettez les figues dans un bocal avec le porto et 1 feuille de laurier. Couvrez. Laissez mariner.

Quelques heures à l'avance : écrasez les gousses d'ail. Otez le trognon de la tomate, pressez-la dans la main pour extraire les pépins, coupez la chair en dés. Gardez tout sur une assiette, avec les échalotes hachées.

Concassez les ailerons, les cous et les carcasses.

Dans une cocotte en fonte, faites fondre 50 g de beurre à feu moyen. Salez, poivrez les morceaux de poulet. Faites-les blondir de tous côtés. Gardez-les au chaud sur une assiette.

A leur place, jetez dans la cocotte les morceaux concassés. Faites rissoler en remuant. Ajoutez les échalotes, mélangez. Couvrez presque complètement la cocotte, penchez-la sur l'évier pour jeter le gras.

Ajoutez la coriandre, 2 feuilles de laurier, l'ail, le céleri et la tomate. Versez la moitié du porto des figues. Rangez les morceaux de poulet sur le tout, de sorte qu'ils ne baignent pas dans le jus. Couvrez. Mijotez 30 min à feu doux.

Pendant ce temps, faites bouillir le reste du porto des figues jusqu'à obtenir un sirop onctueux. Gardez-le de côté.

Otez les morceaux de poulet de la cocotte. Rangez-les dans un récipient couvert, gardez chaud. Versez-y 15 cl d'eau et

Chez nous, la plupart des jardiniers amateurs récoltent leurs propres figues. On peut même, si on préfère, attendre un peu et les cueillir séchées sur l'arbre.

le fond de volaille en poudre. Laissez cuire 10 min à petits bouillons en grattant le fond avec une spatule en bois. Filtrez le jus dans une passoire fine au-dessus d'une petite casserole : vous devez obtenir environ 15 cl de sauce.

Un plat à la fois surprenant, économique et délicieux !

25 minutes avant de servir : faites cuire le riz à l'eau salée, le temps indiqué sur le paquet.

Réchauffez la sauce sur feu très doux : elle ne doit pas réduire !

Mettez les figues dans la casserole où se trouve le porto réduit. Chauffez doucement en remuant de temps à autre sans abîmer les fruits.

Disposez les morceaux de poulet sur un plat chaud. Jetez dans la sauce 100 g de beurre en morceaux, en remuant jusqu'au premier bouillon. Otez aussitôt du feu, nappez le poulet. Disposez autour les figues brillantes.

Faites fondre 50 g de beurre dans le riz. Présentez-le à part.

Mon tour de main : si vous êtes pris de court, mettez figues, porto et laurier dans une casserole. Posez sur feu très doux, couvrez, maintenez tiède durant 1 h.

Mon conseil-vin : je sers avec ce plat un vin rouge corsé au nez fruité et épicé comme un châteauneuf-du-pape (Côtes-du-Rhône Sud) ou, dans une gamme plus économique, un fitou (Languedoc). J'aime aussi déboucher un bourgogne Côte de Nuits (Bourgogne). Tous se servent âgés de plusieurs années et à la température de 14-15 °C.

La terrine de fruits
à la crème d'amandes
~

Au marché : *Les fruits seront forcément achetés en plus grandes quantités que ce qu'il faut pour la recette. Choisissez-les de belle qualité, et sélectionnez encore les plus beaux pour votre terrine.

* Les pistaches sont presque toujours vendues salées. Décoquillez-les, rincez-les dans une passoire sous le robinet, séchez-les. Il n'y a plus qu'à les concasser dans un robot à hélice !

La veille : pelez kiwi et poire. Coupez la poire en gros dés, le kiwi en quarts de rondelles. Pelez les oranges à vif (voir page 46), détaillez-les en quartiers, ôtez les pépins s'il y en a. Au fur et à mesure, laissez les fruits s'essuyer sur du papier absorbant.

Préparez la crème d'amandes : fouettez le beurre pour le mettre en pommade lisse. Ajoutez 210 g de sucre en fouettant, jusqu'à obtenir une crème pâle et mousseuse. Incorporez la poudre d'amandes puis, un à un, les œufs entiers. Fouettez assez longtemps au fouet électrique pour que le mélange devienne crémeux, onctueux et aussi ferme que possible.

Avec une spatule, tartinez les parois d'un petit moule à cake de 15 cm de long avec une mince pellicule de crème d'amandes.

Rangez dans le moule les fruits (sauf les fraises) en couches successives. Alternez les couleurs. Séparez les fruits par de minces couches de crème d'amandes et répartissez les pistaches hachées et les morceaux d'écorce d'orange. Terminez par une couche de crème d'amandes. Mettez au moins 3 h au froid.

Lavez puis équeutez les fraises, mixez-les avec 50 g de sucre. Gardez ce coulis au froid.

Préparation : 30 min

Pas de cuisson

Facile

Pas trop cher

Pour 6 personnes

50 g de raisins blancs

et 50 g de noirs

90 g de poire

90 g de kiwi

1 orange et demie

250 g de fraises

210 g d'amandes en poudre

1 cuil. à s. de pistaches

hachées gros

1 cuil. à s. d'écorce d'orange

confite

3 œufs entiers

300 g de beurre ramolli

260 g de sucre

Au moment de servir : nappez le fond de chaque assiette avec le coulis. Démoulez la terrine. Passez la lame d'un couteau bien tranchant sous l'eau chaude. Coupez 6 tranches, posez-les sur les assiettes.

Mes tours de main : * Pour démouler facilement, tapissez entièrement la terrine de film plastique, en le laissant dépasser sur les bords, avant de la tartiner de crème d'amandes. Il n'y aura plus qu'à poser le plat sur la terrine, à retourner puis à décoller le film...
* Quand vous coupez une tranche, retenez-la avec une pelle à tarte ou une large spatule, ce sera plus facile.
* Cette terrine peut se préparer la veille, mais ne la gardez pas plus de 36 h à cause des fruits.

Mon conseil-vin : c'est le moment de déguster un muscat d'appellation Beaumes-de-Venise (Côtes-du-Rhône Sud), un vin doux naturel au fruité extraordinaire. Rafraîchissez-le à 10 °C.

La douceur du vert qui habille les amandes annonce le goût à la fois délicat et puissant de la graine fraîche.

On peut mettre d'autres fruits dans la terrine : mûres, figues, prunes, groseilles, pêche permettent de la réinventer selon l'inspiration et le marché.

UN AIR DE VACANCES

~

Le gaspacho de thon et saumon frais
La salade d'écrevisses en sauce crème
Le cocktail de fruits rouges au champagne

~

Les vacances sont une parenthèse durant laquelle on quitte un logement douillet pour un autre, souvent moins confortable mais situé plus près du rêve, à quelques centaines de kilomètres. On abandonne obligations, convenances et habitudes pour retrouver... mais cela dépend de vous !

Certains retrouvent d'autres obligations, convenances et habitudes, et même leurs voisins de palier. D'autres, comme moi, en profitent pour retourner vers leur enfance. Avec vos habits d'hiver, rangez donc dignité et sérieux dans la naphtaline. Retrouvez la liberté de gestes et de sentiments que vous avez oubliée du côté d'autrefois... Après tout, ce n'était qu'hier ! Et laissez carte blanche à vos sens pour mieux découvrir le vrai luxe : se régaler de mets exquis en se sentant détendu comme dans un vieux polo.

Émiettez sans façon votre pain dans le gaspacho, mangez votre dessert dans un verre empli de bulles... Vous ne le feriez pas chez vous lors d'un dîner chic ? Eh bien c'est justement ça, les vacances !

A l'apéritif : puisque vous avez entamé une bouteille de champagne pour préparer le dessert, servez le reste avant de passer à table, quitte à compléter en faisant sauter un second bouchon !

Sous le soleil matinal, le retour du pêcheur dans le port de Cassis : il y aura du poisson frais pour le déjeuner...

65

Le gaspacho de thon
et de saumon frais
~

Préparation : 35 min

Pas de cuisson

Facile

Pas très cher

Pour 6 personnes

150 g de filet de thon

150 g de filet de saumon

1,2 kg de tomates bien mûres

1 concombre

1 poivron rouge

1 oignon moyen

blanc nouveau

1 cuil. à s. d'estragon

et de persil hachés

1 citron

1 gousse d'ail

4 cuil. à s. d'huile d'olive

2 cuil. à s. de vinaigre de vin

Tabasco, sel

Ail, estragon et huile d'olive voisinent avec d'autres parfums dans ce gaspacho réinventé. On pourrait aussi imaginer de le décorer avec quelques brins de cive.

Au marché : *Thon et saumon doivent être aussi frais que possible. A défaut, tout autre poisson de mer bien frais fera l'affaire. Pour le thon, demandez un morceau dans la partie ventrale d'un gros thon blanc : près de la queue, la chair est nerveuse. Exigez un saumon qui n'a pas été surgelé, d'Écosse ou de Norvège.

* Les tomates : pour ce gaspacho, je préfère les « pendelottes » de forme oblongue ; on ne les trouve qu'à la belle saison.

2 ou 3 heures à l'avance : coupez les tomates en deux, pressez-les doucement dans la main pour extraire l'eau et les pépins. Pelez le concombre, coupez-le en deux dans la longueur, ôtez les pépins avec une petite cuillère. Retirez la queue du poivron, coupez-le en deux, égrainez-le. Pelez l'ail.

Mixez les tomates, l'ail, une moitié du concombre et du poivron. Salez, ajoutez l'huile, le vinaigre et 2 ou 3 gouttes de tabasco. Goûtez pour vérifier l'assaisonnement en sel et poivre. Tamisez à travers une passoire fine pour obtenir la consistance d'une crème légère.

Pelez l'oignon, hachez-le assez fin. Mettez-le dans une passoire fine, rincez-le sous l'eau fraîche. Coupez le reste de concombre et de poivron en tout petits dés de la taille des morceaux d'oignon. Hachez finement le persil et l'estragon, mêlez-les aux légumes, mettez au frais.

15 minutes avant de servir : placez une assiette au réfrigérateur. Retirez la peau et les arêtes des poissons. Rincez-les, séchez-les. Détaillez-les en bâtonnets de 4 à 5 cm de long et 2 à 3 mm d'épaisseur. Mettez-les au réfrigérateur dans l'assiette bien froide. Salez-les légèrement, arrosez-les avec 1/2 jus de citron. Laissez mariner 10 min, pas plus !

Au moment de servir : répartissez les bâtonnets de poisson sur six assiettes creuses, nappez-les des légumes tamisés, semez dessus les petits morceaux de légumes et d'herbes. Servez aussitôt.

Improvisez ! Il m'arrive de remplacer les poissons par des crevettes décortiquées et des coquilles Saint-Jacques, pourvu qu'elles soient bien fraîches !

Mon conseil-vin : débouchez un vin blanc sec de Cassis, rafraîchi à 8-9 °C dans un seau d'eau où nagent des glaçons.

La salade d'écrevisses
en sauce crème

~

Au marché : * Écrevisses, langoustines ou gambas gagnent à être commandées à l'avance, en exigeant qu'elles soient vivantes. Un crustacé mort se vide très vite et devient non comestible. Si vous avez la chance d'avoir des écrevisses sauvages dites pattes rouges, il faut les châtrer juste avant de les cuire. Tenez la tête d'une main, de l'autre saisissez la nageoire centrale du bout de la queue entre le pouce et l'index et tirez vivement en arrière, en donnant un quart de tour : vous arrachez ainsi le boyau noir de l'intestin. Cette opération importe moins pour les écrevisses d'élevage, celles qu'on achète le plus souvent : généralement à jeun depuis 2 ou 3 jours, elles ont déjà vidé leur intestin.

Préparation : 30 min

Cuisson : 15 min

Pas trop difficile

Cher

3 ou 4 heures à l'avance : pelez les concombres, émincez-les en fines tranches, poudrez-les avec 2 cuil. à c. de sel fin, laissez dégorger. Quand ils ont rendu leur eau, rincez-les sous l'eau froide, égouttez-les bien.

Chauffez dans une cocotte 6 l d'eau avec 3 cuil. à s. de gros sel et le bouquet garni. Au premier bouillon, immergez les écrevisses. Laissez bouillir 2 min. Laissez refroidir le tout.

Pendant ce temps, préparez la nage : émincez très fin carottes, oignon, céleri et échalote. Chauffez 8 cuil. à s. d'eau dans une casserole avec le vin blanc, du sel et du poivre. Au premier bouillon, jetez-y les légumes. A la reprise de l'ébullition, baissez le feu, laissez frémir 2 min. Gardez ce bouillon au réfrigérateur.

20 minutes avant de servir : mixez le bouillon glacé, légumes compris, avec le yaourt et la crème fraîche bien froids, du sel et du poivre.

Équeutez les écrevisses, gardez 6 têtes pour le décor. Mêlez les queues d'écrevisse, les concombres, l'aneth, le cerfeuil et la sauce. Vérifiez l'assaisonnement. Servez dans six bols froids. Parsemez d'œuf dur concassé, décorez chaque bol d'une tête d'écrevisse.

Improvisez ! A la place de l'aneth, je mets parfois la même quantité d'estragon haché.

Mon conseil-vin : vous avez le choix entre poursuivre avec le cassis du gaspacho, ou déboucher un bordeaux blanc sec d'appellation Graves. En tout cas, servez-le à 8-10 °C.

Une fois prête, la salade d'écrevisses doit rester au frais, et ne pas attendre sur la desserte plus de quelques minutes.

Pour 6 personnes

2 kg à 2,5 kg d'écrevisses
(ou 2 kg de langoustines
ou de gambas)

400 g de concombres

50 g de carottes

50 g d'oignon

20 g d'échalote

20 g de céleri-branche

1 bouquet garni : 3 ou 4
branches de persil,
1 feuille de laurier,
2 brins de thym et
1 gros paquet d'aneth
ou d'estragon

1 cuil. à c. d'aneth haché gros

1 cuil. à c. de cerfeuil haché

1 œuf dur

8 cuil. à s. de vin blanc sec

1 yaourt

1 cuil. à s. de crème
fraîche épaisse

Sel, poivre

Harmonie d'artistes : le cocktail de fruits rouges au champagne devant une toile signée Charles Atamian (double page suivante).

Le cocktail de fruits rouges
au champagne
~

Préparation : 30 min

Cuisson : 5 min

Facile

Cher

Pour 6 personnes

200 g de fraises de jardin

200 g de fraises des bois

200 g de framboises

200 g de groseilles

1/2 bouteille de

champagne bien glacé

170 g de sucre en poudre

Plusieurs heures à l'avance : lavez les fraises dans une passoire sous le robinet, séchez-les, équeutez-les. Ne lavez pas les fraises des bois, trop fragiles, ni les framboises qui se gorgeraient d'eau. Gardez chaque sorte de fruits sur une assiette.

Lavez les groseilles, séchez-les, égrappez-les. Gardez-en la moitié sur une assiette.

Dans une petite casserole, chauffez l'autre moitié avec 2 cuil. à s. d'eau et 70 g de sucre. Au premier bouillon ôtez du feu, laissez tiédir. Versez-les dans un torchon fin déplié sur une terrine. Soulevez les bords pour le fermer en formant une poche, serrez en tournant pour exprimer le jus dans la terrine.

Versez 100 g de sucre dans une assiette. Trempez le bord de 6 verres (juste 1 mm) dans le sirop de groseille, secouez-le pour égoutter, puis posez-le sur le sucre en poudre pour givrer toute la bordure.

Sans toucher au givrage, mélangez les fruits dans les verres, jusqu'aux deux tiers de la hauteur. Versez dessus le sirop de groseille.

Au moment de servir : posez les verres sur des assiettes à dessert. Portez à table. A ce moment seulement, emplissez les verres avec du champagne jusqu'à 1 cm du bord. Il se forme alors une belle mousse rose qui couronne le verre.

Lavez et séchez toujours les groseilles avant de les égrapper, jamais l'inverse : vous perdriez du jus et du parfum.

Improvisez ! Tous ces fruits sont interchangeables avec des mûres, des myrtilles... Vous pouvez même n'utiliser qu'une seule espèce de fruits, sauf les groseilles qui, seules, seraient trop acides. Mais, si vous n'en avez pas du tout dans le cocktail, il sera trop doux et il faudra lui donner un peu d'acidité avec le jus d'un demi-citron.

Mon idée-décor : ayez six petits napperons de papier. Avec des ciseaux, coupez un rayon (du bord jusqu'au centre). Disposez ces napperons autour du pied de chaque verre et glissez une petite fleur dans la fente.

Un Déjeuner
de Fleurs

~

Les fleurs de courgettes farcies aux champignons
Le carré d'agneau rôti à la fleur de thym
Les tartelettes d'orange meringuées, fleurs de lavande

~

Quand je vivais dans le Var, j'habitais une ferme où l'on cultivait des légumes, des fleurs et de la vigne. Après plusieurs semaines d'absence, je suis rentré par une nuit sans lune. J'avais un petit creux. Alors, je me suis dirigé dans le noir vers ce que je croyais être, comme à mon départ, un carré de salade de mesclun. J'en ai cueilli quelques feuilles qui m'ont paru bien tendres. Une fois assaisonnée et relevée d'une pointe d'ail, j'ai bien apprécié cette salade au goût nouveau et agréable.

Mais voilà : le lendemain matin mon ami le fermier, Félix, rouspétait : « Je ne sais pas qui a saccagé cette nuit mon semis de soucis. Regarde-moi ce massacre ! » J'ai ri en lui avouant que j'étais le coupable, trahi par la lune...

Félix s'est moqué de moi en déclarant qu'en Provence on avait l'habitude de manger pas mal de plantes en salade, mais que les soucis, personne n'avait encore été assez fada pour essayer. Il fallait vraiment être parisien pour ingurgiter ça (parisien, pour lui, désignait tout individu venu du nord d'Aix). Malgré mes origines « étrangères », j'ai fini par me faire adopter en trinquant autour d'innombrables pastis. Là-bas, à Saint-Clair, on devient vite du pays si l'on aime le pastis, les blagues et la pétanque. Dieu que la vie y était douce, chaude d'amitié et sans soucis. Sauf en salade !

Des fleurs sur la table et tout autour : c'est le meilleur décor pour un menu qui les présente aussi dans l'assiette.

75

Autre richesse végétale de la Provence, reconnue par tous : le thym. Le meilleur, c'est celui de la garrigue que l'on ne trouve pas à moins de deux cents mètres d'altitude, à quelques vols d'oiseau de la mer. Il ne pousse que sur les pentes pierreuses brûlées de soleil, où il subit les assauts du mistral et la dent des moutons. Il dépasse rarement quinze centimètres de haut. Abreuvé par les dernières pluies de l'hiver qui ravivent un peu les collines pauvres, au joli mois de mai ce thym se pare de fleurs bleu-rose qui aquarellent toutes les collines de Provence et éveillent doucement les ruches. Leur splendeur ne dure que deux semaines.

J'ai mis des fleurs sauvages dans ce menu (sans souci !) dont chaque plat vous tiendra éloigné de la table quelques instants avant de le servir. Assumez cette petite servitude en vrai cuisinier, c'est-à-dire en pensant d'abord au bonheur de vos invités. Je ne connais pas de meilleur exemple pour cela que celui de mon ami Danny Kaye. Ce grand comédien (qui était aussi un grand cuisinier) ne s'asseyait pas avant d'avoir servi lui-même le repas à chacun. Son bonheur ne venait que du plaisir qu'il pouvait donner. Bravo, chef !

A l'apéritif : restons parmi les fleurs, sans exagérer. Sous prétexte de par-fums, ne faites pas comme ce restaurateur qui nous avait servi, à Paul Bocuse et à moi, un sorbet citron au « Chanel n° 5 ». Après ça, même un aïoli passe inaperçu ! Mêlez simplement 5 cuil. à s. de Coin-treau à une bouteille de champagne. Ser-vez sans attendre que les bulles s'éva-nouissent et ajoutez dans chaque verre 1/2 cuil. à c. d'eau de fleurs d'oranger.

Les fleurs de capucine, très décoratives, donnent de l'éclat à tous les plats que l'on désire animer d'une couleur forte. En plus, elles libèrent un délicieux goût piquant, poivré...

Les fleurs de courgettes farcies
aux champignons
~

Au marché : * Les fleurs de courgettes se trouvent de plus en plus souvent sur les marchés d'été. Par prudence, commandez-les quand même. Elles sont attachées à une mini-courgette (sinon ce sont des fleurs de courges). Elles se fanent vite, mais résisteront un peu plus si vous laissez tremper les courgettes dans de l'eau fraîche. Vous pouvez les remplacer par des fleurs de potiron (ôtez les pistils), des feuilles de blettes ébouillantées ou même par les tendres feuilles ébouillantées d'un chou vert.
* Les épinards les plus tendres sont les petits nouveaux qui arrivent au printemps. A défaut, choisissez des feuilles de cœur, petites et claires, ou remplacez-les carrément par... de la mâche ! Coupez-lui les pieds pour ne garder que les feuilles : même en la lavant bien, il reste souvent du sable près de la racine.
* La crème fleurette existe en grandes surfaces sous la forme de crème fraîche liquide présentée en briquettes longue conservation.

Plusieurs heures à l'avance : coupez le pied terreux des champignons, lavez-les dans une passoire sous le robinet, hachez-les en grosses miettes. Mêlez-les au jus de citron.

Chauffez 30 g de beurre et l'échalote dans une sauteuse. Dès que le beurre commence à chanter, ajoutez les champignons, salez, remuez, cuisez 3 à 4 min.

Égouttez tout dans une passoire fine au-dessus d'une petite casserole. Gardez l'eau récupérée. Remettez les champignons dans la sauteuse, séchez-les à feu vif en remuant sans cesse.

Dans une terrine, mêlez au fouet la crème fleurette et les jaunes d'œufs. Salez, poivrez, versez sur les champignons, cuisez 2 min en remuant vivement. Laissez refroidir sur un grand plat. Égouttez, ajoutez le jus à celui de la petite casserole.

Préparation : 25 min
Cuisson : 25 min

Facile
Peu cher,
mais variante très chère !

Pour 6 personnes
6 fleurs de courgettes
500 g de champignons de
Paris
200 g d'épinards très tendres
1 cuil. à s. d'échalote hachée
Le jus d'1/2 citron
1 gros brin de romarin
280 g de beurre
5 cuil. à s. de crème fleurette
2 jaunes d'œufs
Sel, poivre

Essuyez délicatement, si besoin, les fleurs de courgettes. Versez au cœur de chacune 1 cuil. à c. de purée de champignons. Refermez les pétales. Disposez les fleurs bien fermées dans le panier d'un couscoussier, couvrez-les d'une feuille d'aluminium.

Équeutez, lavez, égouttez les épinards.

Faites bouillir le jus des champignons jusqu'à ce qu'il n'en reste que 3 cuil. à s. Jetez-y 250 g de beurre par paquets de petits morceaux, en fouettant fort sur feu vif. Mettez à point de sel et de poivre, gardez cette sauce de côté.

20 minutes avant de servir : emplissez d'eau chaude la partie basse du couscoussier, plongez-y le romarin. Portez à ébullition sur feu vif. Posez dessus le panier de courgettes, couvrez, laissez cuire 15 min. La cuisson sera parfaite lorsque la pointe d'un couteau pénétrera sans peine la petite courgette.

Pendant ce temps, réchauffez la sauce au bain-marie.

Au moment de servir : étalez les feuilles crues d'épinards ou de mâche sur 6 assiettes chaudes. Posez dessus les fleurs farcies, salez peu, donnez un tour de moulin à poivre. Nappez de beurre de champignon.

Mon idée-décor : éparpillez quelques brins de cerfeuil sur le plat terminé, servez aussitôt.

Ma variante grand luxe : ce plat délicat devient grandiose si on y ajoute... de la truffe. Ayez 6 truffes noires du Vaucluse de 15 g, en boîte (essayez de trouver des truffes dites « de première cuisson »). Placez-les entières dans le mélange jaunes d'œufs-crème-champignons mis à refroidir. Surtout gardez le jus de la boîte et faites-le réduire avec le jus des champignons ; puis faites suivre aux truffes le même chemin qu'à la farce jusqu'à la fin de la recette.
Si par chance vous disposez de truffes fraîches, mettez-les dans un petit bocal hermétiquement fermé, entouré d'un linge.

Les fleurs de courgettes ne résistent que le temps d'un lever de soleil. Achetez-les le matin pour les cuisiner le jour même.

Plongez-le dans une casserole d'eau bouillante, couvrez, laissez bouillir 30 min. Utilisez-les ensuite comme les truffes en boîte.

Mon conseil-vin : dégustez un vin blanc sec des Côtes-du-Rhône septentrionales, comme un condrieu, choisi jeune pour son parfum d'iris et de violette. Servez-le frais : vers 8-10 °C.

Le carré d'agneau rôti
à la fleur de thym
~

Préparation : 15 min

Cuisson : 25 min

Facile

Un peu cher

Pour 6 personnes

3 carrés d'agneau côtes

premières de 1.2 kg chacun

2 têtes d'ail ou

20 belles gousses

3 cuil. à s. de fleur de thym

+1 gros brin de thym

80 g de beurre

Sel, poivre

Au marché : * L'ail nouveau récolté à la fin du printemps est idéal dans cette recette : il ne contient pas ce germe vert qui grandit dans les vieilles gousses et les rend moins digestes.
* Les carrés d'agneau méritent d'être commandés à l'avance : votre boucher pourra vous procurer un agneau français de belle qualité, et vous préparer des carrés de 9 côtes premières en dégageant les manchons. Demandez-lui de vous donner à part les parures (petits morceaux de peau et de chair) et les os.
* La fleur de thym : à défaut de la sublime fleur de thym des garrigues (voir page 76), prenez-la sur du thym de jardin, pourvu que le pied pousse au soleil dans un sol pauvre et sec.

1 heure 15 avant le repas : séparez les gousses d'ail une à une sans les peler, faites-les tremper 15 à 20 min dans l'eau froide, égouttez-les.

Pendant ce temps, préchauffez le four à température maximale. Étalez les parures et les os au fond du plat à rôtir, en ôtant le plus possible de gras.

Incisez le côté gras des carrés tous les 3 cm en dessinant des croisillons, profondément mais sans atteindre la chair. Salez de tous côtés, semez la fleur de thym. Posez les carrés dans le plat, côté gras en haut. N'ajoutez aucun corps gras.

*Achetez à la fin
du printemps une
belle botte d'ail
vert. Suspendez-
la dans la cuisine
pour penser à en
user dans vos
plats : c'est un
gage de santé !*

Enfournez 10 min. Ajoutez les gousses d'ail sans retourner les carrés ; 10 min plus tard, tournez le côté gras en dessous.

Attendez encore 5 min. Sortez les carrés, posez-les sur une petite assiette renversée au fond d'une grande assiette. Recouvrez-les d'une feuille d'aluminium, gardez au chaud dans le four éteint et entrouvert. Ils vont s'égoutter sans tremper dans leur jus.

Pressez une extrémité des gousses d'ail pour les faire sortir de leur peau, gardez-les au chaud.

Avec une cuillère, ôtez la graisse qui remonte à la surface de la sauce. Versez 1 dl d'eau chaude dans le plat. Transvasez ce jus dans une casserole, faites-en évaporer la moitié à feu vif. Plongez-y le brin de thym, couvrez, laissez infuser 10 min hors du feu.

Si vous servez les tartelettes sur des assiettes, posez à côté un petit bouquet de lavande fraîche. Si vous les présentez sur un joli plat, glissez entre elles de la lavande en brins.

Au moment de servir : si besoin, réchauffez les carrés quelques minutes au four. Faites rissoler les gousses d'ail à la poêle dans le beurre. Dès qu'elles blondissent, versez tout dans une saucière avec le jus de la viande filtré à travers une passoire fine (ôtez le thym).

Découpez les carrés en côtes. Rangez-les sur un plat chaud ou sur des assiettes chaudes. Donnez un tour de moulin à poivre, servez sans attendre.

Mon accompagnement : n'allons pas chercher les complications avec ce plat simple aux parfums délicieux. Vos invités se régaleront avec une garniture de petites pommes de terre nouvelles !

Mon conseil-vin : servez un vin rouge au nez de fruits frais comme un volnay, un santenay (Bourgogne) ou un fleurie (Beaujolais).

Les tartelettes d'orange meringuées, fleurs de lavande
~

Préparation : 35 min

Cuisson : 35 min

Pas cher

et pas très difficile

Pour 6 personnes

Pour la pâte

250 g de farine tamisée

150 g de sucre en poudre

200 g de beurre mou

Suite page 84

Ces proportions donnent jusqu'à 18 tartelettes, mais on réussit parfois mieux certaines préparations avec des quantités plus importantes. La pâte se conserve très bien au réfrigérateur ; on peut en faire des tartes ou des petits sablés.

Au marché : * La lavande : il est plus facile de se procurer des fleurs de lavandin qui feront aussi bien l'affaire. En tout cas, n'utilisez surtout pas de fleurs de lavande achetées chez un parfumeur : destinées à parfumer les armoires, elles sont en général additionnées d'extraits très puissants qui détruiraient votre dessert. Si vous ne trouvez pas de fleurs fraîches, tant pis. Les tartelettes seront quand même très bonnes !

4 jaunes d'œufs

1 pincée de sel

Pour la garniture

1 citron

1 orange

3 œufs entiers

100 g de sucre en poudre

60 g de beurre mou

Pour la meringue

3 blancs d'œufs

120 g de sucre glace tamisé

Pour décorer

1 cuil. à c. de fleurs
de lavande

Au moins 3 heures 30 avant le repas : mettez les moules à tartelettes au réfrigérateur.

Préparez la pâte : dans le bol du robot à hélice, mêlez la farine, le sucre et 1 pincée de sel. Ajoutez le beurre et les jaunes d'œufs. Mélangez à petite vitesse. Dès que la pâte commence à s'amalgamer, formez une boule avec vos mains, emballez-la dans un film plastique ou dans un linge légèrement humide, mettez-la au moins 1 h au réfrigérateur.

Préparez la garniture : dans le bol du robot, versez le sucre, le beurre mou, les œufs, ainsi que l'orange et le citron non pelés, lavés, coupés en 4 et épépinés. Mixez pour obtenir une purée liquide. Gardez-la au réfrigérateur.

Étalez la pâte sur 2 mm d'épaisseur. Découpez 6 disques de 10 cm de diamètre. Sortez les moules à tartelettes du réfrigérateur, tapissez-les avec les disques. Coupez la pâte qui dépasse, piquez le fond à la fourchette. Remettez au moins 30 min au froid.

Au moins 2 heures avant le repas : préchauffez le four à 200 °C (thermostat 6).

Disposez les moules sur une plaque, enfournez 10 min. Sortez-les, mais gardez le four à la même température.

Garnissez chaque tartelette de crème orange-citron. Enfournez de nouveau 20 min. Laissez refroidir 10 min avant de démouler. Replacez les tartelettes sur la plaque, hors du four. Laissez le four chauffer à 160 °C (thermostat 3-4).

Préparez la meringue : montez les blancs d'œufs en neige très ferme. Versez peu à peu le sucre glace en fouettant toujours jusqu'à obtenir une mousse épaisse et brillante.

Posez 1 cuil. à s. de meringue sur chaque tartelette, lissez-la en dôme avec une spatule, semez les fleurs dessus.

30 minutes avant de servir : chauffez les tartelettes 5 min au four. Présentez-les tièdes sur des assiettes à dessert.

Mes tours de main : * Pour obtenir une pâte d'épaisseur uniforme, faites découper par un bricoleur plusieurs jeux de 2 baguettes de 50 cm de long et d'épaisseurs différentes : 1 cm, 5 mm, 2 mm, 1 mm. Placez-les de part et d'autre de la pâte. En appuyant le rouleau dessus, vous obtiendrez une épaisseur parfaitement régulière.

* Pour que vos blancs d'œufs montent parfaitement, sortez-les du froid 1 h à l'avance, afin qu'ils soient à température ambiante. Les parois du récipient doivent être exemptes de toute trace de gras. Ajoutez-leur 1 pincée de sel fin avant de fouetter. Votre neige est assez ferme quand vous pouvez retourner complètement le récipient sans qu'elle tombe !

Voici le secret de la liqueur de coquelicot, pour terminer en toute logique un déjeuner de fleurs : pilez des fleurs de coquelicot sans rosée, équeutées. Enfermez-les dans un bocal avec le même volume d'eau-de-vie neutre et le zeste d'1 citron. Laissez 10 jours au frais dans le noir. Filtrez. Préparez un sirop composé à volume égal de sucre et d'eau, pour en obtenir la moitié du volume de l'infusion. Donnez un bouillon, laissez refroidir. Mêlez à l'infusion. C'est prêt !

Menu
de Fête

~

La coquille de brouillade d'œufs au caviar
La fricassée de homard à la crème d'estragon
Les filets d'agneau en croûte et duxelle de cèpes
Le soufflé glacé aux fraises

~

N'oubliez pas de mettre à la disposition de chaque convive, en plus des mouillettes, une petite cuiller à moka...

Ce menu de fête là, grandiose et raffiné, vous ne l'improviserez pas ! Et pourtant, il répond au marché de la saison et on pourrait presque l'imaginer au hasard des courses chez de bons fournisseurs. Un peu comme ces repas que je fais chaque année, lors de mon séjour à Los Angeles. J'en profite toujours pour inviter quelques amis du cinéma (pas moins d'une trentaine), parmi lesquels se trouvent Sharon Stone, Michael Douglas, Lee Marvin, Jack Nicholson, Anthony Quinn, Sylvester Stallone, Arnold Schwarzenegger...

L'excursion au marché donne le coup d'envoi de la fête : c'est là que nous composons nos rêves gourmands en salivant devant les plus beaux produits. Le résultat est souvent un menu fait de plats simples (soupe de châtaignes, poisson rôti aux tomates et aux olives, navarin d'agneau...). Chacun prélève alors dans sa cave quelques flacons adaptés aux plats et, croyez-moi, d'improvisations en expériences réussies, la fête ne fait qu'enfler, de plus en plus magnifique, dans le foisonnement des idées gourmandes et le bonheur des sensations partagées.

En des circonstances si heureuses, il faut savoir être prodigue. Aussi ai-je exceptionnellement inscrit quatre plats au lieu de trois à ce menu plantureux : ici amitié rime avec générosité.

A l'apéritif : avant un tel dîner, le champagne pour tout le monde s'impose ! 15 à 20 min avant de le déboucher, plongez la bouteille dans un seau d'eau froide où nagent des glaçons. La température de service idéale se situe à 8-9 °C. N'oubliez pas de préparer une serviette blanche qui entourera la bouteille au moment du service, afin de ne pas faire tomber des gouttes d'eau partout ! Et pour commencer en toute somptuosité, servez donc aussi des petits toasts de pain de campagne avec une râpée de truffe noire, quelques grains de gros sel, un tour de moulin à poivre et quelques gouttes d'huile d'olive bien fruitée.

Pour un service sans tache, entourez l'épaule de la bouteille d'une jolie serviette blanche, posée comme un cache-col.

La coquille de brouillade d'œufs
au caviar
~

Au marché : * Les œufs : choisissez les plus gros que vous trouverez !

Quelques heures à l'avance : décapitez soigneusement chaque œuf du côté le plus gros. Videz-le dans un bol. Lavez les coquilles, laissez-les sécher retournées sur un linge.

Fouettez les œufs au fouet à main, salez et poivrez. Filtrez-les à travers une passoire fine pour éliminer tout morceau de coquille. Gardez-les au réfrigérateur.

10 minutes avant de servir : chauffez 10 g de beurre à feu doux dans une petite casserole. Versez-y les œufs battus. Tournez doucement à la spatule en bois, jusqu'à ce qu'ils atteignent une consistance crémeuse. Allez bien au fond et dans l'angle tout autour de la casserole pour y empêcher toute coagulation. Otez du feu, ajoutez la crème fraîche. Mettez à point de sel et de poivre. Placez les coquilles dans des coquetiers, garnissez-les de brouillade. Toastez le pain de mie, découpez-le en « mouillettes ».

Déposez 10 g de caviar (2 cuil. à c.) sur chaque œuf, piquez dessus 4 ou 5 brins de ciboulette.

Mon tour de main : l'idéal, pour décapiter les œufs, est de disposer d'un coupe-œuf, qui fait une coupure bien nette. On en trouve dans les boutiques d'articles de cuisine.

Mon idée-saveur : j'aime remplacer les mouillettes de pain par des têtes de petites asperges, coupées à 7 ou 8 cm : je les ébouillante 1 min à l'eau salée, je les égoutte et les présente chaudes.

Mon conseil-vin : ne multipliez pas les vins différents : continuez donc avec le champagne servi à l'apéritif !

Préparation : 30 min
Cuisson: 10 min environ

Facile
Très cher

Pour 6 personnes
60 g de caviar beluga
ou sevruga
6 œufs
1 petite touffe de ciboulette
30 g de beurre
3 cuil. à c. de crème fraîche
épaisse
3 tranches de pain de mie
Sel, poivre

La fricassée de homard
à la crème d'estragon

~

Au marché : * Les homards : qu'il s'agisse de homards ou de langoustes, commandez-les à l'avance pour avoir des crustacés vivants et de bonne qualité.

* L'estragon : à défaut d'estragon frais, vous pouvez utiliser de l'estragon conservé au vin blanc. Évitez l'herbe séchée, qui prend un goût différent.

Plusieurs heures à l'avance : pour préparer les homards, il s'agit de savoir si vous êtes une personne sensible ou non.

Dans le premier cas, préchauffez votre four à 240 °C (thermostat 9). Placez-y les homards. Ils n'auront pas le temps d'y penser qu'ils seront déjà au paradis des gourmets ! Laissez-les 4 min, sortez-les, coupez-les en deux dans la longueur : enfoncez la pointe d'un gros couteau à la jonction du corselet et de la queue, abaissez la lame.

Si vous êtes moins sensible, coupez les homards de la même façon, mais vivants. Cela va plus vite.

Écrasez légèrement les pinces sans abîmer les chairs, avec le plat du gros couteau. Dans une grande sauteuse (ou 2 sauteuses) assez large pour contenir les 12 demi-homards serrés, chauffez le beurre et les échalotes hachées. Laissez légèrement blondir à feu moyen. Rangez dessus les demi-homards, chair dessous. Faites cuire 3 min.

Retournez-les, arrosez-les avec la crème. Séparez les feuilles et les tiges de l'estragon. Ajoutez les tiges dans la sauteuse. Couvrez hermétiquement. Cuisez à feu doux, en comptant 6 min après le premier bouillon. Éteignez.

Otez les demi-homards ; égouttez bien la crème qui reste dans les carapaces. Sortez la chair sans la casser ; retirez aussi la chair des pinces. Mettez ces chairs dans une grande casserole.

Préparation : 35 min
Cuisson : 20 min

Facile
Très cher

Pour 6 personnes
6 homards de 400 g chacun
(ou des langoustes de
même poids)
90 g de beurre
3 échalotes
9 dl de crème fleurette
6 branches d'estragon
Sel, poivre

Deux beaux spécimens choisis en parfait état de fraîcheur : on a cueilli un bouquet d'estragon frais à leur offrir...

*Pour la présentation,
suivez le modèle...*

Videz le contenu des corselets dans la sauteuse. Gardez sur une assiette les corselets vides avec 2 pattes attachées. Ajoutez dans la sauteuse les coques des pinces concassées, bref tout ce qui ne se mange pas. Portez à ébullition, filtrez dans une passoire fine, au-dessus de la casserole qui contient les chairs. Mettez à point de sel.

10 ou 20 minutes avant de servir : réchauffez 20 min au bain-marie, ou 10 min directement sur feu doux.

Au dernier moment : ajoutez les feuilles d'estragon hachées grossièrement, donnez 3 tours de moulin à poivre. Disposez sur chaque assiette chaude 2 demi-homards et la chair de 2 pinces. Nappez copieusement de crème. Décorez avec les demi-corselets.

Improvisez ! La recette est très savoureuse aussi, en remplaçant l'estragon par 1 cuil. à moka de pastis que vous ajouterez au moment de servir.

Mon conseil-vin : c'est le moment de déboucher un châteauneuf-du-pape blanc, choisi dans une année riche (voir le tableau de la page 17), et rafraîchi à 8-9 °C.

Les filets d'agneau en croûte et duxelle de cèpes
~

Préparation : 1 h 30 environ

Cuisson : 1 h

Difficile

Cher

Au marché : * La farine la meilleure pour la pâte feuilletée est dite de type 45 (c'est en fait celle que l'on trouve le plus facilement, et ce code figure toujours sur le paquet). Achetez-la tamisée : ainsi vous n'aurez pas à la tamiser vous-même !
* Les filets doivent être pris sur une selle d'agneau parée à vif, c'est-à-dire sans graisse, ni peau, ni os.

* Les cèpes : si vous souhaitez faire quelques économies, utilisez 30 g de cèpes secs mêlés à 350 g de champignons de Paris bien blancs. Réhydratez les cèpes 15 min dans 5 dl d'eau tiède. Égouttez-les, essorez-les dans le poing, hachez-les avec les champignons de Paris, continuez la recette normalement.

* La crème fleurette est de la crème fraîche de texture liquide. Vous la trouverez en grandes surfaces sous la forme de briquettes longue conservation.

Plusieurs heures à l'avance : <u>Le feuilletage</u>. Utilisez un robot à hélice muni de la lame pour pâte, ou un bol mélangeur équipé du crochet.

Coupez le beurre en morceaux. Faites fondre le sel dans l'eau. Versez le beurre et la farine dans le bol du robot. Mélangez, versez l'eau petit à petit jusqu'à ce que la pâte se détache des parois (quelques secondes avec le robot à hélice ; 1 à 2 min dans le mélangeur). Entourez la pâte de film plastique, laissez reposer 20 min au frais.

Étalez la moitié de la pâte au rouleau sur un plan fariné, en un rectangle de 50 x 20 cm (gardez le reste pour un autre usage). Rabattez les extrémités vers le centre puis refermez en deux comme un livre. Laissez encore reposer 20 min au frais, enveloppé de film plastique.

Posez la pâte devant vous comme si vous alliez ouvrir le livre. Étalez-la de nouveau en un rectangle de 50 x 20 cm, repliez comme la première fois. Enveloppez, laissez reposer 15 min au frais.

Recommencez une troisième fois, laissez de nouveau reposer enveloppé au frais.

<u>Le fond d'agneau</u>. Commencez à le préparer durant les temps de repos de la pâte feuilletée.

Chauffez 3 cuil. à s. d'huile dans une cocotte, faites rissoler les os. Inclinez la cocotte sur l'évier pour jeter le gras de cuisson. Laissez couler l'eau chaude en même temps, pour ne pas boucher l'évier !

Pour 6 personnes

Pour un feuilletage rapide
300 g de beurre
500 g de farine
2 cuil. à moka de sel
1 verre d'eau fraîche

Pour le fond d'agneau
450 g d'os d'agneau concassés
75 g d'échalotes
40 g de carottes
1 petite tête d'ail
1 brin de thym
1 feuille de laurier
1 cuil. à c. de concentré de tomate
Quelques grains de poivre
33 cl du vin que vous servirez avec ce plat
1/2 cube de bouillon de volaille
30 g de beurre
3 cuil. à s. d'huile d'olive
Sel, poivre

Pour les filets d'agneau
500 g de filets d'une selle d'agneau
1 cuil. à s. de beurre
2 cuil. à s. d'huile
Sel, poivre

Pour la duxelles de cèpes
350 g de cèpes frais
1 cuil. à s. d'échalote hachée
1 cuil. à s. de beurre
Sel, poivre

Suite page 94

Pour la farce

150 g de chair de volaille crue

1,5 tranche de pain de mie

180 g de crème fleurette

1 dl de lait

Sel, poivre

Pour la dorure

1 jaune d'œuf

1 cuil. à c. de sucre en poudre

Ajoutez les échalotes et la carotte grossièrement hachées, le thym, l'ail, le laurier et le concentré de tomate. Faites suer le tout à feu doux, puis versez le vin, jetez quelques grains de poivre, laissez évaporer les trois quarts du liquide.

Ajoutez de l'eau pour recouvrir les os, mettez le cube de bouillon, laissez mijoter 40 min, le temps de faire évaporer la moitié du liquide.

Pendant ce temps-là, occupez-vous de la pâte feuilletée. Et préparez duxelles et filets.

Quand les 40 min seront écoulées, passez le fond à travers une passoire très fine au-dessus d'une petite casserole (il ne doit rester que 6 à 7 cl de jus). Gardez au froid.

Les filets. Chauffez 2 cuil. à s. d'huile et 1 cuil. à s. de beurre dans un plat à rôtir. Salez et poivrez les filets, saisissez-les dans l'huile chaude à feu vif, juste le temps de les dorer régulièrement de tous côtés. Sortez-les, laissez-les reposer sur une assiette tandis que vous continuez la duxelles et la farce, la pâte feuilletée et le fond qui mijote…

La duxelles de cèpes. Hachez les cèpes. Faites fondre l'échalote 2 à 3 min dans le beurre à feu moyen-doux. Ajoutez les cèpes, salez, tournez sur feu vif jusqu'à ce que toute l'eau des champignons soit évaporée. Poivrez, gardez au réfrigérateur.

La farce de volaille. Hachez la chair crue au robot avec sel et poivre. Ajoutez le pain de mie trempé dans le lait et essoré, mixez. Incorporez la crème en 2 fois. Vérifiez l'assaisonnement.

Mêlez la moitié de cette farce avec la duxelles froide, gardez au frais.

* Pour utiliser le reste de la farce, consultez en fin de recette mon « idée-saveur ».

La dorure. Dans un bol, fouettez à la fourchette le jaune d'œuf, le sucre et 2 cuil. à s. d'eau.

Séparez la pâte feuilletée en 4 parties égales. Étalez-les au rouleau en 4 rectangles de 2 mm d'épaisseur, un peu plus grands que les filets.

Étalez une couche de mélange farce-duxelles au milieu de 2 rectangles dans la longueur : posez un filet sur chaque, recouvrez-le d'une fine couche de farce. Disposez un second rectangle de pâte par-dessus, soudez-le au premier avec de la dorure. Pressez doucement avec les doigts.

Faites une cheminée au milieu : un trou de 1 cm de diamètre dans lequel vous glissez un rouleau de papier sulfurisé.

Badigeonnez la pâte de dorure avec un pinceau. Posez sur une plaque à pâtisserie antiadhésive ou mouillée. Gardez au frais.

30 minutes avant de passer à table : passez une seconde couche de dorure sur les feuilletages. Préchauffez le four à 200 °C (thermostat 6).

Enfournez les filets en croûte 15 à 20 min. Réchauffez le fond d'agneau au bain-marie.

Le riche mariage de l'agneau et des champignons cuit sans perdre d'arômes : ils restent prisonniers dans une croûte d'or.

Juste avant de servir : incorporez 30 g de beurre en morceaux, en fouettant, dans le fond d'agneau chaud. Versez-le dans une saucière chaude.

Présentez les filets en croûte sur 2 planchettes à découper posées sur un grand plat... et portez triomphalement à table !

Mes idées-saveurs : * Il est difficile de préparer moins de farce de volaille à la fois. Mettez le surplus dans des ramequins posés dans un plat à four à demi rempli d'eau. Enfournez 20 min à four préchauffé à 150 °C (thermostat 4). Ces petits pâtés de volaille se gardent plusieurs jours au réfrigérateur. Vous les servirez en apéritif, coupés en rondelles ou en carrés posés sur des petites tranches de pain grillé et moutardé.

Ils se dégustent aussi en garniture avec une viande, après avoir été réchauffés au bain-marie et recouverts de la sauce qui accompagne la viande.

Tout cela est si bon que vous devriez même préparer le double de farce par rapport à ce que j'indique !
* Pour bien réussir le feuilletage, il faut en préparer une assez grande quantité. Il vous en restera la moitié. Vous pouvez la congeler (la pâte reprendra très bien ses qualités en dégelant au réfrigérateur ou à température ambiante). Elle vous servira à préparer une tarte ou des feuilletés pour l'apéritif.

À la belle saison, ce dessert crée avec le paysage une harmonie de rose et de vert tendre...
(page ci-contre)

Mon tour de main : pour obtenir une pâte uniformément aplatie, reportez-vous à l'astuce que j'indique après la recette des tartelettes d'orange, dans le menu « Un déjeuner de fleurs ».

Mon conseil-vin : c'est le moment de déboucher un grand cru de Bordeaux : un margaux ou un pauillac (Médoc) âgé de quelques années et servi chambré, c'est-à-dire à 16 °C, surtout pas plus chaud !

Le soufflé glacé aux fraises

~

Au marché : * Les fraises seront choisies fraîches, surtout pour le décor : les fruits surgelés se mettent en compote lorsqu'ils dégèlent. En revanche, vous pouvez sans problème laisser dégeler des framboises à température ambiante : elles retrouvent un bel aspect.

* Le cacao en poudre doit être 100 % cacao, sans sucre du tout. Rien à voir avec les préparations pour petit déjeuner ! On trouve facilement ce produit en grandes surfaces.

* La crème fleurette est de la crème fraîche liquide. Elle se monte facilement en crème fouettée à condition d'être très froide. On la trouve en grandes surfaces sous la forme de briquettes longue conservation.

Préparation : 50 min

Cuisson : 5 min

Difficile

Pas trop cher

Pour 6 personnes

250 g de crème fleurette

350 g de fraises

ou de framboises

4 blancs d'œufs

250 g de sucre semoule

2 cuil. à s. de cacao pur

en poudre

La veille ou plusieurs heures à l'avance : 1 h au moins avant de commencer la recette, mettez la crème fleurette au froid dans une terrine.

Lavez, égouttez puis équeutez les fraises. Mettez-en 6 belles au réfrigérateur. Mixez les autres en purée. Passez-les à travers une passoire fine, au-dessus d'une terrine. Gardez au réfrigérateur.

Mettez les blancs d'œufs et 1 pincée de sel dans le bol du batteur.

D'autre part, versez le sucre et 10 cuil. à s. d'eau dans une casserole très propre. Chauffez à feu vif.

Commencez aussitôt à battre les blancs, doucement d'abord, puis plus vite.

Surveillez votre sirop de sucre pour qu'il atteigne 120 degrés lorsque les blancs seront très fermes (voir mon tour de main en fin de recette). A ce moment, réduisez la vitesse du batteur et laissez couler le sirop en fin filet dans la neige. Fouettez à petite vitesse jusqu'à ce que cette meringue soit refroidie. Gardez-la au réfrigérateur.

Fouettez la crème fleurette très froide au fouet électrique, 5 min environ. Dès qu'elle est devenue très ferme, arrêtez de fouetter, sinon vous feriez... du beurre ! Remettez-la au réfrigérateur pour qu'elle maintienne sa tenue.

Découpez 6 bandes de papier fort de 7 cm de large, entourez-en des ramequins de 8 à 9 cm de diamètre et 4 cm de haut. Fixez-les avec un élastique ou un papier collant, de façon à augmenter la hauteur des moules. Mettez-les au froid.

Quand la meringue est bien froide, mêlez-lui la moitié du jus de fraise. Incorporez l'autre moitié dans la crème fouettée, puis assemblez les deux compositions en tournant de bas en haut à la spatule. Versez dans les ramequins, faites prendre 5 à 6 h au congélateur.

1 heure avant de servir : sortez les soufflés du congélateur, mettez-les au réfrigérateur.

Au moment de servir : ôtez les papiers, poudrez les soufflés de cacao. Poudrez les 6 fraises de sucre glace, posez-les au milieu de chaque soufflé.

Mes tours de main : * Pour savoir comment monter parfaitement les blancs en neige, reportez-vous à mon tour de main à la fin de la recette des tartelettes d'orange, dans le menu « Un déjeuner de fleurs ».
* Comment savoir à quel moment le sirop atteint 120 degrés ? Le plus simple est d'avoir un thermomètre à sucre. Si vous n'en disposez pas, préparez un bol d'eau glacée. Quand le sirop fait de grosses bulles, faites-en tomber quelques gouttes dans l'eau glacée. Essayez de les saisir entre deux doigts. Si vous arrivez à former une petite boule molle, le sucre est à point.
* Pour poudrer joliment le cacao et le sucre glace, je les mets dans une passoire à thé et je les fais tomber en tournant à la petite cuiller.

Mon conseil-vin : et puis, c'est la fête ! Servez donc ce dessert avec un sauternes bien frais (8-9 °C).

Un Dîner
à Mougins

~

La tourte d'olives mouginoise
Les cuisses de poulet en court-bouillon de citron
Les tartelettes aux fruits du temps

~

Un jour, un vieux de Mougins m'a raconté : «Tu sais, petit, à la place de ton restaurant, il y avait autrefois un beau moulin à huile. Quand on travaillait par là, ou bien quand on n'avait pas grand-chose à faire, on descendait de temps en temps voir le meunier. On avait toujours dans la poche deux ou trois gousses d'ail et un couteau. Et puis on ramassait quelques pissenlits avec les racines ; car n'oublie pas, petit, la racine, c'est ce qu'il y a de meilleur dans le pissenlit ! On les lavait dans le ruisseau en passant et, arrivés près de la meule, on trouvait toujours une miche de pain rassis de la semaine.

Simplicité et somptuosité des parfums, quand la petite olive noire de Nice épouse le thym sauvage.

« Le meunier nous donnait une "pignate" remplie d'huile d'olive tout juste coulée des presses. Alors, on frottait le pain avec l'ail, on le trempait dans la pignate et on croquait tout ça avec les pissenlits et le gros sel. Ajoute à ça un petit coup de notre vin des collines ! Eh bien tu vois, petit, je ne suis pas sûr que tes clients, avec tous tes trucs compliqués, se régalent autant que nous avec cette nourriture toute simple. Allez, vé, à la tienne tout de même ! »

Le moulin dans lequel j'ai installé mon restaurant est bel et bien là depuis l'an 1500. Et c'est en pensant à la nostalgie de ce gastronome-sans-le-savoir que j'y ai inventé la tourte aux olives. Les autres recettes de ce menu sont composées avec des produits de terroir, simples, bon marché et de saison : il faut toujours écouter les leçons des anciens !

Le pastis peut être préparé en cuisine, mais pas à l'avance : il faut le déguster à petites gorgées dès qu'il est prêt.

A l'apéritif : on peut toujours servir un petit coup de vin blanc sec ou de rosé bien frais. Mais le pastis me paraît s'imposer. Pour l'apprécier, préparez-le dans les règles de l'art : ne mettez pas plus d'1 ou 2 glaçons dans le verre. Puis versez le pastis sur les glaçons. Enfin ajoutez 4 fois son volume d'eau bien fraîche, mais pas glacée (environ 6-7 °C). On peut choisir de le diluer un peu plus, mais pas de mettre moins d'eau. Il importe surtout de trouver un grand pastis : les marques très connues et bon marché sont en fait des versions simplifiées de l'apéritif artisanal que chacun concoctait autrefois selon sa propre recette (secrète, bien sûr !) après une grande balade pour récolter les herbes dans la garrigue. Des marques régionales moins connues (et un peu plus chères) proposent de nouveau ces pastis à l'ancienne, obtenus avec des infusions et des alcoolats de dizaines de plantes et d'épices différentes. Leur excellente qualité justifie amplement la différence de prix. On les trouve souvent chez les bons cavistes.

La tourte d'olives mouginoise

~

Au marché : * Les feuilles vertes : les 500 g s'entendent feuilles pesées sans les côtes blanches pour les blettes et la chicorée, ou sans les queues des épinards.

Tout peut se préparer la veille

Mettez dans un saladier la farine, 8 cuil. à s. d'huile d'olive, 10 cuil. à s. d'eau tiède et 1 pincée de sel. Pétrissez jusqu'à ce que la pâte se détache de votre main et du bol. Aplatissez-la légèrement, mettez-la 30 min au frais.

Hachez les oignons, faites-les fondre à feu doux dans 4 cuil. à s. d'huile d'olive. Remuez de temps à autre, jusqu'à ce qu'ils soient très tendres et légèrement blonds.

Pendant ce temps, lavez les feuilles, égouttez-les, coupez-les en petits morceaux. Ajoutez-les aux oignons blonds bien tendres, avec l'ail haché fin et la fleur de thym. Laissez cuire sans couvrir jusqu'à ce qu'il ne reste plus de liquide.

Dénoyautez les olives. Si vous n'avez que de grosses olives, coupez-les en quatre.

Dans un grand bol, battez les œufs avec la crème fleurette. Hors du feu, versez sur les légumes. Mélangez, donnez quelques tours de moulin à poivre (pour le sel, l'apport des olives suffira).

Préchauffez le four à 250 °C (thermostat 9). Étirez la pâte sur une plaque, avec les mains, en un disque de 30 cm de diamètre. Remontez les bords d'environ 5 mm. Versez les légumes dessus, étalez à la fourchette. Semez les olives sur le tout et enfournez 25 à 30 min.

Préparation : 50 min
Cuisson : 30 min

Facile
Pas cher

Pour 6 personnes

500 g de feuilles de blettes,
d'épinards ou de chicorée
200 g d'oignons
180 g de petites olives noires
3 gousses d'ail
1/2 cuil. à c. de fleur de thym
250 g de farine
2 œufs
12 cuil. à s. d'huile d'olive
2 cuil. à s. de crème fleurette
Poivre

*La délicieuse olive de Nyons,
toujours noire, cueillie en plein hiver,
à la main et à parfaite maturité, est
aujourd'hui la seule qui porte une
AOC (Appellation d'Origine
Contrôlée), comme un grand vin.*

Au moment de servir : dégustez cette tourte (chaude ou froide) à l'ombre d'un olivier s'il s'en trouve un à proximité. Sinon, n'importe quel arbre fera l'affaire et la tourte n'en sera pas moins bonne !

Mon conseil-vin : choisissez un vin blanc sec ou un rosé d'appellation Côtes-de-Provence, ou un vin rouge de l'année léger et frais, comme un gamay de Savoie ou un coteaux-du-lyonnais. Ou pourquoi pas... un champagne ? Le snobisme a parfois du bon ! Servez tout cela bien rafraîchi à 8-10 °C.

Les cuisses de poulet en court-bouillon de citron

~

Préparation : 45 min

Cuisson : 45 min

Facile

Bon marché

Pour 6 personnes

6 cuisses de volaille de 200 g

2 tomates

3 citrons

300 g de carottes moyennes

1 blanc de poireau

1 gros oignon blanc

1 branche de céleri

1/2 poivron rouge

2 gousses d'ail

Suite page 105

Au marché : * Les citrons doivent être choisis non traités. Sinon, lavez-les avec insistance à l'eau tiède.

Tout peut se préparer quelques heures à l'avance

Préparez les cuisses : incisez légèrement la jointure pilon-cuisse, dégagez au couteau la chair à l'extrémité du pilon. Coupez le bout de l'os et son cartilage avec un couteau assez lourd. Salez les cuisses, rangez-les dans le plat à four, sans qu'elles se chevauchent.

Recouvrez chaque cuisse de 2 rondelles de tomate et de 2 rondelles de citron intercalées. Arrosez d'un filet d'huile.

Préchauffez le four à 220 °C (thermostat 7).

Pelez tous les légumes. Taillez les carottes, l'oignon et le blanc de poireau en fines rondelles, puis le céleri et le poivron rouge en petits bâtonnets. Mettez tout dans une casserole avec 4 à 5 cuil. à s. d'huile d'olive. Chauffez en remuant sur feu moyen, sans laisser dorer.

Quand les légumes ne sont plus que légèrement croquants sous la dent, versez 1 dl d'eau et le vin. Ajoutez le bouquet garni, les cubes de volaille, l'ail émincé.

Placez grains de poivre et de coriandre dans un petit linge. Nouez-le en sachet avec une ficelle. Jetez-le dans la casserole. Couvrez. Laissez cuire 20 min à feu doux.

Enfournez la volaille 20 min. Sortez-la du four sans l'éteindre. Avec une cuiller, retirez tout le gras rendu dans le plat, en l'inclinant.

Otez le bouquet garni de la casserole. Enlevez le sachet de poivre et de coriandre, pressez-le au-dessus de la casserole pour en exprimer le jus. Ajoutez 5 cuil. à s. d'huile d'olive. Mélangez, versez sur les cuisses en étalant les légumes.

Réenfournez 20 min, en baissant la température du four à 180 °C (thermostat 4).

Sortez le plat du four, couvrez-le d'une feuille d'aluminium. Laissez reposer au moins 1 h.

Au moment de servir : ôtez l'aluminium, ajoutez quelques fines rondelles de citron et les herbes ciselées : persil, estragon et cerfeuil.

Servez à température ambiante, pas plus froid.

Mon idée-saveur : ce que je préfère dans cette recette, c'est une bonne tartine de pain de campagne trempée dans la sauce ! L'idéal serait de trouver des fougassettes. Mais si vous n'habitez pas le Midi, il vous sera sans doute plus facile d'acheter des michettes ou un pain de campagne.

Mon conseil-vin : ne vous cassez pas la tête ! Continuez avec le vin que vous avez choisi pour accompagner l'entrée...

1 bouquet garni :
1 gros brin de thym,
1 feuille de laurier et
quelques brins de persil
1 petit bouquet de persil
1 petit bouquet de cerfeuil
12 à 15 feuilles d'estragon
frais
1 cuil. à s. de grains
de coriandre
1 cuil. à c. de grains
de poivre noir
5 dl de vin blanc sec
10 cuil. à s. d'huile d'olive
vierge
2 cubes de bouillon de volaille
Sel, poivre

Les tartelettes aux fruits du temps

~

Quelques heures à l'avance : épluchez, coupez en morceaux l'orange, la poire, la pomme et la pêche. Mêlez-les au jus de citron pour les empêcher de noircir.

Préchauffez le four à 220 °C (thermostat 8).

Préparez la pâte d'amandes : dans un grand bol, battez le beurre 1 min avec la poudre d'amandes. Versez 115 g de sucre, mélangez. Ajoutez les œufs.

Beurrez le fond et les parois de 6 moules à tartelettes de 10 cm de diamètre, versez-y la pâte d'amandes. Enfournez 15 min, le temps qu'elle dore un peu.

Pendant ce temps, écrasez les framboises (gardez-en 12 entières) au moulin à légumes au-dessus d'un saladier. Ajoutez 100 g de sucre, mélangez. Gardez au froid.

Récupérez les pépins de framboises, faites-les cuire 10 min à feu doux avec 100 g de sucre, en tournant. Cela doit devenir comme une confiture.

Démoulez les tartelettes, recouvrez-les de confiture de pépins. Disposez dessus les fruits coupés.

Tiédissez la gelée de coing. Versez-en 1 cuil. à s. sur chaque tartelette ; en refroidissant, elle maintiendra les fruits en place.

Décorez avec les fraises coupées en deux, la demi-banane en rondelles, les framboises, les groseilles en grappe et quelques feuilles de menthe.

Au moment de servir : versez le coulis de framboise en couronne dans le fond de 6 grandes assiettes plates, posez les tartelettes au milieu.

Mon idée-saveur : accompagnez ces tartelettes de glace à la vanille, c'est délicieux !

Préparation : 40 min
Cuisson : 25 min

Facile
Pas trop cher

Pour 6 personnes
300 g de framboises
6 fraises
75 g de groseilles
ou de myrtilles
1/2 banane
1 orange
1 poire
1 pomme
1 pêche
Le jus d'1 gros citron
115 g de poudre d'amandes
1 bouquet de menthe
1 pot de gelée de pomme
ou de coing
315 g de sucre en poudre
3 œufs entiers
115 g de beurre mou

Fraîcheur, douceur, parfums et onctuosité : tout se mêle dans ces éblouissantes tartelettes !

LE DÎNER DE
MA TANTE CÉLESTINE

~

Les biscuits de loup à l'estragon
Les pigeons aux petits pois en cocotte
La charlotte légère d'abricots

~

Le champagne aux pêches était le cocktail préféré de tante Célestine : réduisez 2 pêches blanches en purée. Passez. Gardez au froid avec 2 cuil. à s. de sucre et 1 cuil. à c. de jus de citron. Juste avant de servir versez dans une carafe, ajoutez 1 bouteille de champagne très frais.

Ma tante Célestine recevait comme si elle vivait une fête. Le plaisir commençait au moment de l'invitation, enflait durant les achats, se prolongeait avec la préparation du repas et trouvait son apothéose dans la moisson de sourires heureux autour de la table. Pour tante Célestine, organiser un dîner était une succession de petites fêtes qui pouvaient durer plusieurs jours, pour le seul plaisir de faire plaisir.

C'est ainsi, je crois, que l'on doit recevoir. Il ne faut pas supporter une invitation comme une suite de contraintes, d'efforts, de corvées. Si vos invités sentent votre désir de les voir, de veiller à leur bien-être et à l'harmonie de la rencontre, alors peu importent les imprévus, les contretemps et même une recette pas tout à fait réussie. Vous en rirez ensemble !

Dès que la porte s'ouvre, votre tâche consiste à balayer les soucis de vos amis. Pour vous aider, un truc : comme tante Célestine, dégustez un petit verre de bon vin ou de champagne juste avant leur arrivée. Votre sourire de bienvenue aura déjà un petit air de fête...

Les biscuits de loup à l'estragon
~

Préparation : 30 min

Cuisson : 25 min

Pas très difficile

Assez cher

Pour 6 personnes

375 g de filet de loup

7 jaunes d'œufs

400 g de beurre

17 cl de crème fraîche
fleurette

25 feuilles d'estragon

3 cuil. à s. de vinaigre de vin

1 dl de vin blanc sec

30 g d'échalote hachée fin

1 cuil. à c. de poivre concassé

Sel, poivre

Le bar, que nous surnommons loup à cause de sa réputation de férocité, est le plus apprécié des poissons méditerranéens.

Au marché : * La crème fleurette est de la crème fraîche liquide qui se monte facilement en crème fouettée. On la trouve sous forme de crème longue conservation, en petites briques de carton.

Quelques heures avant le repas : hachez 225 g de chair de loup dans un robot à hélice. Salez, poivrez. Ajoutez les jaunes d'œufs, mixez quelques instants. Incorporez rapidement en mixant 150 g de beurre mou puis 15 cl de crème fleurette. Vous obtenez une pâte bien lisse.

Dans le reste de loup, taillez 6 goujonnettes (lanières coupées en biseau, de la grosseur du petit doigt).

Beurrez 6 petites terrines à couvercle (ou 6 petits moules à soufflé). Posez dans chacune d'elles 1 goujonnette roulée en spirale. Salez, poivrez, ajoutez 4 ou 5 feuilles d'estragon. Recouvrez de farce. Bombez en dôme, lissez. Arrosez de beurre fondu pour que la farce ne sèche pas en cuisant. Gardez au réfrigérateur.

40 minutes avant de servir : préchauffez le four à 170 °C (thermostat 4-5). Disposez les terrines dans un plat creux ; versez de l'eau chaude dans le plat jusqu'à mi-hauteur des terrines.

Chauffez sur feu vif. Au premier bouillon, enfournez 8 min. Couvrez avec les couvercles ou du papier d'aluminium. Laissez cuire encore 12 min.

Pendant ce temps, préparez le beurre nantais. Versez dans une casserole inoxydable le vinaigre, le vin blanc, l'échalote et le poivre. Faites bouillir jusqu'à ce qu'il ne reste qu'1 cuil. à s. de liquide. Ajoutez 1,5 cuil. à s. de crème fleurette. Jetez dans la casserole bouillante 180 g de beurre en petits morceaux, en fouettant sans arrêt. Mettez à point de sel. Filtrez dans une passoire fine, gardez chaud au bain-marie.

Au moment de servir : couvrez un joli plat avec une serviette pliée. Posez les terrines dessus. Présentez le beurre nantais en saucière chaude.

Retournez les terrines sur chaque assiette chaude devant les convives et nappez de beurre nantais.

Mon conseil-vin : je débouche volontiers avec ce plat un blanc sec fruité comme un condrieu (Côtes-du-Rhône Nord) âgé de 2 ans, pas plus, pour ses notes d'abricot et de pêche.

Mon tour de main : pour rendre le beurre nantais plus mousseux, je le mixe quelques instants dans un robot à hélice juste avant de servir.

Les pigeons aux petits pois en cocotte

~

Préparation : 20 min
Cuisson : 55 min environ

Pas difficile
Pas trop cher

Pour 6 personnes
3 pigeons de 500 g
25 petits lardons
9 grosses cuil. à s.
de petits pois
30 petits oignons blancs frais
12 feuilles de laitue
1,5 échalote
3 brins de thym
Suite page 113

Au marché : * Les petits pois : bien sûr, c'est toujours mieux de les croquer fraîchement écossés. Mais, hors saison, n'hésitez pas à les prendre surgelés ou en conserve.
* Les lardons : prenez-les dans de la poitrine salée fraîche (c'est-à-dire non fumée).

Quelques heures à l'avance : demandez au volailler de vider et brider les pigeons (ou faites-le vous-même) et de vous laisser abats et abattis.

Avec les cous et les ailerons, préparez un jus de pigeon : faites-les dorer dans une casserole avec 40 g de beurre. Ajoutez l'échalote hachée, laissez-la dorer. Versez le vin, laissez-en évaporer la moitié.

Ajoutez de l'eau jusqu'à hauteur des os, puis les 3/4 cube de bouillon, le thym, le laurier et le concentré de tomate. Laissez frémir à feu doux. Lorsqu'il ne reste plus que 6 cuil. à s. de jus, filtrez-le dans une passoire fine au-dessus d'un saladier.

1 grande feuille de laurier

1,5 cuil. à c. de concentré
de tomate

22 cl de vin blanc

3/4 cube de bouillon
de volaille

200 g de farine

130 g de beurre

3 pincées de sucre

Sel, poivre

Préchauffez le four à 240 °C (thermostat 9).

Chauffez 50 g de beurre dans une sauteuse. Salez et poivrez les pigeons dedans et autour, dorez-les légèrement dans le beurre sur toutes les faces. Enfournez la sauteuse 12 min. Arrosez les pigeons au moins 2 fois avec leur jus.

Pendant ce temps, faites cuire les petits pois 3 min à l'eau bouillante salée.

Plongez les lardons dans une petite casserole d'eau froide. Chauffez. Laissez bouillir 2 min. Rincez-les, égouttez-les.

Dans une casserole, chauffez les petits oignons avec une noix de beurre, sel, poivre, le sucre et 15 cl d'eau. Laissez bouillir sur feu vif pour faire évaporer l'eau.

Réservez toutes ces garnitures séparément au fur et à mesure sur une grande assiette.

Mettez les feuilles de laitue dans une casserole avec une noix de beurre, faites-les tomber à feu moyen. Ajoutez les lardons, les petits oignons et les petits pois. Salez, poivrez, versez au fond de la cocotte. Posez les pigeons dessus, arrosez-les avec le jus du saladier. Couvrez.

Une délicieuse occasion de fêter les tendres légumes du printemps...

Pétrissez la farine avec un peu d'eau froide afin d'obtenir une pâte plutôt molle. Avec, colmatez la jointure entre le couvercle et la cocotte, pour empêcher la vapeur de s'échapper. Vous avez ainsi « luté » la cocotte.

35 à 40 minutes avant de servir : préchauffez le four à 200 °C (thermostat 6). Enfournez la cocotte 20 min.

Au moment de servir : portez la cocotte à table. Cassez la belle croûte dorée qu'est devenue la pâte à luter. Soulevez doucement le couvercle. Humez...

Coupez les pigeons en deux. Disposez chaque moitié sur une assiette chaude, entourez-la de petits légumes, arrosez avec le jus. Servez vite.

Mon conseil-vin : soyez classique en débouchant un bon bordeaux : saint-émilion ou saint-estèphe chambré à 16 °C.

Pour bien cuire les pigeons, mettez-les dans une cocotte à leur taille, au couvercle lourd qui ferme aussi bien que possible.

La charlotte légère d'abricots
~

Au marché : * Les abricots : cette recette sera encore plus réussie si vous pouvez vous procurer des petits abricots muscats, plus petits et moins jolis que les autres, mais beaucoup plus savoureux. Hors saison ou si vous ne trouvez pas d'abricots bien mûrs, vous pouvez utiliser des abricots en conserve (2 boîtes 4/4) : 300 g de sucre suffisent alors : vous n'aurez pas à cuire les abricots dans un sirop, et la recette ne commencera pour vous qu'au moment de mixer les fruits avec le quart du sirop.
* La crème fleurette est de la crème fraîche liquide. On en trouve sous forme de crème longue conservation présentée en petites briques.

La veille : mettez un grand bol au réfrigérateur, avec la crème fraîche. Lavez, équeutez les abricots, ne les dénoyautez pas. Mettez-les dans une grande casserole avec 100 g de sucre, couvrez-les d'eau froide. Posez une assiette renversée sur les fruits pour les maintenir sous le liquide. Chauffez. Donnez un bouillon, ôtez du feu, couvrez. Laissez pocher 15 min.

Dénoyautez les abricots. Versez-les avec le quart du sirop dans le bol du robot ou dans le moulin à légumes (grille fine).

Ajoutez du sirop si la compote vous semble trop épaisse.

Mettez la moitié de la compote au réfrigérateur. Versez l'autre moitié dans une casserole moyenne avec le lait en poudre. Mélangez.

Ramollissez 5 min les feuilles de gélatine dans un peu d'eau froide. Essorez-les dans votre poing, mêlez-les à la compote chaude en fouettant jusqu'à ce qu'elles soient fondues.

Dans une grande terrine, fouettez les jaunes d'œufs et 80 g de sucre en poudre. Portez la compote chaude à ébullition, versez-la sur les jaunes en fouettant. Reversez dans la casserole, chauffez à petit feu en tournant sans cesse. Lorsque la crème

Préparation : 1 h
Cuisson : 20 min

Pas cher
Assez difficile

Pour 6 personnes
1 kg d'abricots mûrs
400 g de sucre en poudre
3 cuil. à s. de lait en poudre
4 feuilles de gélatine (soit 8 g)
6 jaunes d'œufs
3 blancs d'œufs
25 cl de crème fleurette
très froide
10 cuil. à s. de liqueur
d'abricot
Une vingtaine de biscuits
à la cuiller

épaissit et surtout avant le premier bouillon, versez tout dans une grande terrine mouillée. Mettez à refroidir en fouettant de temps à autre jusqu'à ce que la crème soit tiède.

Dans le grand bol glacé, fouettez la crème fleurette au fouet électrique environ 5 min : elle doit devenir très ferme et mousseuse. Gardez au froid.

Montez 3 blancs d'œufs et 1 cuil. à c. de sucre en poudre en neige très ferme.

Dans une petite casserole, chauffez à feu doux 5 cl d'eau et 200 g de sucre. Posez près de la casserole un bol d'eau et de glaçons. Quand le sirop commence à épaissir, faites-en tomber de temps à autre une goutte dans l'eau glacée. Dès que vous pouvez la saisir et en faire une boule molle, ôtez le sirop du feu. Remettez le fouet électrique en marche 1 min dans la neige, laissez-y couler un fin filet de sirop de sucre. Fouettez à petite vitesse jusqu'à refroidissement. Gardez au froid.

Coupez les biscuits à la cuiller à 5 cm de longueur. Arrosez-les avec 8 cuil. à s. de liqueur d'abricot.

Couvrez le fond d'un moule à manqué de 20 à 22 cm de diamètre avec un disque de papier sulfurisé. Tapissez les parois verticales avec les biscuits.

Mêlez la crème à l'abricot, la crème fouettée et la meringue, le tout bien froid, en tournant de bas en haut à la spatule. Allez bien jusqu'au fond du récipient !

Emplissez le moule jusqu'à ras bord. Lissez la surface avec une spatule métallique. Mettez au moins 6 h au réfrigérateur.

Au moment de servir : retournez le moule sur un plat rond et froid. Nappez la charlotte d'une fine couche de compote. Versez 2 cuil. à s. de liqueur d'abricot dans le reste de compote, présentez-la à part dans une saucière froide.

Improvisez !* Je parfume parfois les abricots à la vanille : ajoutez-en une gousse, fendue sur toute sa longueur, dans l'eau et le sucre qui servent à les cuire.

* Il m'arrive aussi, pour changer, de remplacer la liqueur d'abricot par du bon kirsch de France.

Mon idée-saveur : s'il vous reste de la crème, mettez-la dans une boîte hermétique ; elle peut se garder 3 ou 4 jours au réfrigérateur. Vous trouverez certainement quelques gourmands pour la déguster avec des gâteaux secs.

Mon idée-décor : entourez la base de la charlotte avec un ruban noué en nœud papillon !

Mon conseil-vin : j'aime déguster cette charlotte avec un petit verre de rasteau (vin doux naturel de la vallée du Rhône) servi frais mais pas trop froid, vers 10-12 °C.

Plus besoin d'un petit marteau pour casser son pain de sucre. En revanche, la poudreuse est un outil élégant et utile pour répandre régulièrement du sucre semoule sur un dessert.

A U T O U R   D ' U N
N A V A R I N   P R I N T A N I E R

~

Les frisures d'œufs en salade mouginoise
Le navarin d'agneau printanier
Le gratin d'abricots aux amandes, sirop de kirsch

~

Le marché au mois de mai. Le printemps est sur tous les étals avec ses petits légumes nouveaux aux couleurs tendres, souvent ficelés en bottes feuillues. Au temps où les brebis respectaient les saisons, c'était aussi le moment où l'agneau, né vers Noël, se présentait au mieux de ses formes pour réussir les meilleurs plats...

Agneau, œufs, herbes fraîches et légumes nouveaux : ce menu renferme tous les symboles de la fête pascale.

Moi, à cette période, je ne résiste jamais à l'envie de mitonner un navarin. D'accord, c'est un vieux classique de la cuisine française, puisque la légende fait remonter ses origines à la victoire franco-anglo-russe de 1827 sur la flotte turco-égyptienne à Navarin, en Grèce. Je suis même sûr que la recette est encore plus ancienne, et qu'elle tire son nom des navets qui constituaient l'essentiel de sa garniture.

Mais que ce plat n'ait plus rien d'une création ne me gêne pas, au contraire ! Il en est des cuisines comme des musiques, les plus récentes ne survivent souvent que l'espace... d'un printemps. Et si, comme la *Carmen* de Bizet, la bonne cuisine qui traverse les siècles se prête à mille interprétations plus ou moins réussies, elle repose toujours sur le savoir, la modestie et la connaissance fondamentale de son art. Les recettes éternelles restent l'emblème de la « cuisine-vérité », qui valorise la saison et la fraîcheur des produits.

*Le fromage blanc est de saison !
Offrez-le à grignoter à
l'apéritif, avec du pain grillé :
la veille, fouettez 400 g de
fromage blanc égoutté à fond,
1 petit oignon blanc et 1 gousse
d'ail râpés, 1 cuil. à s. de
moutarde forte, du sel et du
poivre. Fouettez 1 dl de crème
fraîche très froide pour la
raffermir. Mêlez fromage et
crème. Égouttez 12 h au froid
dans une passoire fine au-
dessus d'un bol. Juste avant de
servir, semez abondamment
de persil et de ciboulette
hachés fin.*

Voici donc ma version du navarin printanier. Pour le préparer comme moi, si vous n'avez pas de jardin potager, essayez de trouver des légumes tout jeunes, tout petits et tout frais cueillis. Ce sera bien meilleur. Et quand vous savourerez ce plat de terroir, vous ne regretterez pas le temps que vous aurez passé à le préparer.

A l'apéritif : surprenez ! Offrez donc un vin de Xérès : un fino (blanc puissant et ultra-sec) servi à 10-11 °C, ou une manzanilla, ou encore un amontillado à la même température.

Les frisures d'œufs
en salade mouginoise
~

Plusieurs heures à l'avance : chauffez le gril du four, placez dessous le poivron rouge pour griller la peau, en le retournant de temps à autre.

Otez les pédoncules des tomates, plongez-les quelques secondes dans une casserole d'eau bouillante. Passez-les sous l'eau froide. Pelez-les. Coupez-les en quatre, éliminez cœur et graines. Il vous reste 4 « pétales » par tomate. Gardez cœurs et graines pour préparer le navarin (recette suivante). Détaillez ces pétales en bâtonnets. Mettez-les dans une passoire. Poudrez d'1 cuil. à c. de sel fin.

Lorsque le poivron est bien noir, passez-le sous l'eau froide : la peau s'en va très facilement. Ouvrez-le en deux, épépinez-le. Coupez la chair en longs bâtonnets, ajoutez-les aux tomates.

Pelez le concombre, taillez-le dans la longueur en longues et fines tranches. Arrêtez-vous quand vous arrivez aux graines. Recoupez ces tranches en larges lanières. Joignez-les aux tomates et poivron. Poudrez encore d'une grosse pincée de sel.

Préparation : 50 min
Cuisson : 5-10 min

Facile
Pas cher

Pour 6 personnes
5 œufs
2 filets d'anchois
1 poivron rouge
2 grosses tomates
1 concombre
1 belle laitue
50 g de petites olives noires
de Nice
1 botte de ciboulette
12 feuilles de basilic
1 cuil. à s. de persil haché
1 gousse d'ail
7 cuil. à s. d'huile
d'olive vierge
1 cuil. à c. de moutarde forte
2 cuil. à s. de vinaigre de vin
Sel, poivre

L'élégance du résultat dépend entre autres de la finesse des omelettes.

Battez les œufs à la fourchette avec 2 cuil. à s. d'huile, le persil, sel et poivre.

Huilez légèrement 2 poêles à crêpe antiadhésives, chauffez-les à feu moyen. Versez-y une petite louche d'omelette en une couche fine comme une crêpe. Faites cuire des deux côtés. Glissez sur une assiette plate. Continuez ainsi jusqu'à ce qu'il n'y ait plus d'œufs. Essuyez la poêle entre chaque crêpe avec un chiffon imprégné d'huile.

Roulez les crêpes par 3 ou 4, coupez-les en fines lanières. Gardez-les au froid.

Juste avant le repas : lavez la laitue. Coupez les feuilles en chiffonnade comme les omelettes.

Dans une assiette creuse, écrasez à la fourchette l'ail haché très fin et les filets d'anchois. Versez dans un grand saladier avec la moutarde, 1 pincée de sel et le vinaigre. Battez à la fourchette et versez doucement 5 cuil. à s. d'huile. Goûtez et, si besoin, mettez à point de sel (ne salez pas trop !). Ajoutez la tomate, le poivron, le concombre rincés sous le robinet et bien égouttés, ainsi que la chiffonnade d'omelettes. Mélangez.

Tapissez le fond d'un second saladier de chiffonnade de laitue. Versez la salade dessus, en formant un dôme. Éparpillez les olives noires, les feuilles de basilic et la ciboulette ciselée. Servez à température ambiante, pas plus froid.

Mon conseil-vin : choisissez un vin blanc de Cassis ou un blanc d'Arbois. Rafraîchissez-le à 8-10 °C dans un seau d'eau où nagent des glaçons.

Prenez le meilleur de la saison, mettez tout ensemble dans une cocotte : voici l'un des plus vieux plats de la grande cuisine !

Le navarin d'agneau printanier

~

Au marché : * Les légumes : la qualité du résultat dépend d'eux !
Prenez-les aussi petits, aussi frais et aussi tendres que possible.
* Les pommes de terre : je préfère les roseval ou les rattes pour
leur chair fine et parfumée.

Quelques heures à l'avance : préparez le navarin. Retirez la
fine membrane et la graisse qui enveloppent les épaules d'agneau.
Détaillez la viande en gros cubes d'environ 5 cm de côté.

Préparation : 45 min
Cuisson : 1 h 15

Plutôt facile
Un peu cher

Pour 6 personnes
Pour le navarin
3 épaules d'agneau de 1.2
à 1.5 kg, désossées
500 g de tomates mûres.
200 g d'oignon
200 g de carottes
1 tête d'ail entière
1 bouquet de persil
1 gros bouquet de thym
1 feuille de laurier
1 cuil. à s. de beurre
1 cuil. à s. d'huile
1 cuil. à s. de farine
Pour la garniture
2 bottes de carottes nouvelles
2 bottes de navets nouveaux
200 g de petits
oignons blancs ou de petits
oignons verts (cébettes)
500 g de petits pois
300 g de haricots verts
extra-fins
500 g de petites
pommes de terre

Le plaisir du navarin commence lorsqu'on achète au marché les plus craquants des légumes primeurs. Choisissez-les ultra-frais.

Pelez les carottes et les oignons, coupez-les en dés de 1 cm. Faites un bouquet en liant les queues de persil (gardez les feuilles), la moitié du bouquet de thym et le laurier.

Otez les pédoncules des tomates, coupez-les en deux, pressez doucement chaque moitié dans la main pour faire sortir eau et graines. Coupez la chair en morceaux, tenez-les de côté. (Si vous avez préparé les frisures d'œufs en entrée, ajoutez le reste des tomates que vous aurez gardées.)

Pelez, écrasez les gousses d'ail.

Préchauffez le four à 120 °C (thermostat 2-3).

Chauffez 1 cuil. à s. d'huile et autant de beurre dans une cocotte. Salez la viande. Jetez-la dans la graisse chaude. Faites-la dorer uniformément, sans lui laisser le temps de sécher. Otez les morceaux à l'écumoire, égouttez-les dans une passoire.

Sans la rincer, jetez dans la cocotte les carottes et les oignons. Laissez dorer en remuant de temps à autre, versez-les dans la passoire. Jetez le gras de cuisson. Remettez viande et légumes dans la cocotte sur feu moyen, avec l'ail et 1 cuil. à s. de farine. Mélangez 1 min. Ajoutez le bouquet garni et les tomates. Versez de l'eau juste à niveau, couvrez, portez à ébullition, enfournez. Laissez cuire 40 min à petits bouillons.

Pendant la cuisson, épluchez les petits légumes. Lavez-les sans les laisser tremper, sauf les pommes de terre que vous garderez dans l'eau froide.

Plongez les carottes 4 min dans l'eau bouillante salée, les navets 5 min. Égouttez-les dans une passoire.

Mettez les petits oignons dans une petite casserole avec 1 pincée de sel, 1 pincée de sucre et 1 cuil. à c. de beurre, couvrez-les d'eau à hauteur. Laissez bouillir à feu moyen jusqu'à évaporation complète.

Sortez la cocotte du four (n'éteignez pas). Avec une écumoire, retirez les morceaux de viande dans une assiette. Gardez-les chauds sous une feuille d'aluminium.

Filtrez la sauce à travers une passoire fine au-dessus d'une casserole. Faites-la bouillir 5 min à feu moyen. Avec une écumoire, ôtez la graisse qui remonte en surface. Ajoutez carottes et navets.

Ébouillantez les pommes de terre 2 min dans l'eau salée.

Versez la sauce, les carottes et les navets dans la cocotte avec la viande, les petits oignons, les petits pois crus et les pommes de terre égouttées. Mettez à point de sel, donnez plusieurs tours de moulin à poivre, ajoutez le thym restant. Couvrez, portez à ébullition, réenfournez 20 min.

Faites cuire les haricots verts *al dente* (encore fermes sous la dent), égouttez-les.

Hachez grossièrement le persil.

Sortez la cocotte du four. Otez le thym, répartissez le persil et les haricots, couvrez, mettez de côté.

Au moment de passer à table : pendant que vous savourez l'entrée, réchauffez à feu doux. Présentez dans la cocotte.

Mon conseil-vin : j'aime déguster, avec ce plat frais, élégant et goûteux, un jeune bordeaux saint-estèphe servi à la température de la cave, vers 10-12 °C.

Le gratin d'abricots aux amandes et au kirsch

~

La veille : préparez les fruits. Rangez les abricots entiers dans une casserole inoxydable. Par ailleurs, faites bouillir 6 dl d'eau avec la vanille, le miel et le sucre. Versez ce sirop bouillant sur les fruits. Donnez un bouillon, ôtez du feu.

Couvrez. Laissez reposez 24 h en veillant à ce que les abricots soient bien immergés. Si besoin, posez dessus une assiette renversée pour les maintenir dans le sirop.

Plusieurs heures à l'avance : les noyaux ont diffusé un goût d'amande dans les abricots. Égouttez les fruits, gardez le sirop. Retirez les noyaux.

Mixez un quart des fruits avec un peu de sirop pour obtenir une compote épaisse. Gardez les plus beaux en moitiés.

Dans une terrine, mêlez la poudre d'amandes et le sucre. Ajoutez le beurre mou, l'œuf entier et les jaunes. Mélangez au fouet pour obtenir une pâte homogène.

Répartissez les abricots dans des plats à gratin individuels, couvrez-les de pâte. Si elle est trop compacte, chauffez-la un peu pour la ramollir.

Parsemez d'amandes effilées, poudrez de sucre glace.

40 minutes avant de servir : préchauffez le four à 210 °C (thermostat 7). Enfournez 15 à 20 min.

Chauffez légèrement la compote, ajoutez le kirsch.

Au moment se servir : placez un petit napperon de papier dentelle sur 6 assiettes. Posez les plats à gratin dessus. Servez aussitôt, avec la compote présentée en saucière.

Improvisez !* Cette recette laisse place à l'imagination : selon la saison et mes envies, je remplace les abricots par des pêches, des poires, des prunes, voire même des abricots au sirop.
* Il m'arrive aussi d'y verser, à la place du kirsch, le même volume d'abricot brandy.

Préparation : 30 min
Cuisson : 20 min

Facile
Pas cher

Pour 6 personnes
Pour les fruits
1 kg d'abricots frais
200 g de miel
200 g de sucre
1 bâton de vanille
3 cuil. à s. de kirsch
Pour la crème d'amandes
150 g de sucre en poudre
150 g de poudre d'amandes
25 g d'amandes effilées
150 g de beurre
1 œuf entier + 2 jaunes
2 cuil. à s. de sucre glace

PARFUMS ET ÉPICES

~

La compote de poivrons doux aux anchois
La daurade royale rôtie à la sarriette et au gingembre
Les pêches ou poires au vin de poivre et de laurier

~

Ce menu reflète l'harmonie d'une vie, mêlant souvenirs d'enfance et amitiés d'aujourd'hui, richesses de la mer et de la terre...

Il est né un jour où mon ami Pierrot, pêcheur au Suquet (vieux Cannes), avait tiré une belle daurade à la couronne royale ; une daurade d'1,6 kg que nous avons aussitôt décidé de savourer dans les plus goûteuses conditions. Nous sommes donc allés faire un tour dans mon jardin pour profiter de sa fécondité : nous avons cueilli poivrons, sarriette et pêches veloutées.

Ensuite, attablés devant une bouteille de bandol rosé bien frais, nous avons imaginé ensemble ce menu : Pierrot n'est pas seulement un pêcheur hors pair, mais aussi un cordon-bleu !

En respirant la profonde et légère odeur des pêches, je me suis souvenu d'un dessert de tante Célestine : lorsque j'étais enfant, elle préparait souvent une soupe de fruits qui ressemblait à celle que je vous propose et elle y versait, au moment de servir, un bon verre de crème de cassis. L'étonnant était que je n'avais pas droit aux fruits, mais que, en revanche, on m'accordait un peu de bon sirop dans lequel je trempais des biscuits à la cuiller...

Comment vouliez-vous que je ne devienne pas gourmand avec une éducation pareille !

À l'apéritif : quoi de plus parfumé qu'un pastis juste brouillé d'un filet d'eau glacée ? N'oubliez pas d'offrir en grignotage quelques olives noires de Nice et des picholines...

La superbe couleur des poivrons, que vous les préfériez jaunes ou rouges, donne toujours aux plats qu'on en fait un aspect tentateur.

La compote de poivrons doux aux anchois

~

Préparation : 15 min

Cuisson : 30 min environ

Facile

Pas cher

Pour 6 personnes

6 poivrons rouges

30 filets d'anchois à l'huile

3 gousses d'ail

18 feuilles de basilic

6 feuilles de menthe

1/2 cuil. à c. de fleur de thym

15 cl d'huile d'olive

12 tartines de pain de campagne grillées

Poivre

Au marché : * Les poivrons bien charnus et de belle taille sont recommandés pour cette recette. Exigez-les fermes, lisses et brillants, sans tache.

* Les filets d'anchois : ceux que je préfère viennent de Collioure dans le Roussillon. Cette petite ville côtière en a fait sa spécialité.

La veille ou le matin : chauffez le gril du four. Placez les poivrons dessous et retournez-les de temps à autre, jusqu'à ce que toute la peau noircisse (vous pouvez aussi la brûler sur la braise ou sur le gaz). Passez-les sous l'eau froide, frottez pour ôter la peau. Enlevez les pédoncules, ouvrez les poivrons, éliminez les graines, coupez la chair en lanières.

Chauffez l'huile d'olive dans une petite cocotte en fonte. Ajoutez les lanières et la fleur de thym. Laissez compoter 15 min à tout petit feu. Pendant ce temps, hachez finement l'ail, le basilic et la menthe.

Ajoutez les filets d'anchois dans la cocotte. Remuez jusqu'à ce qu'ils soient entièrement fondus (1 à 2 min suffisent).

Quand les poivrons sont cuits, ôtez-les du feu. Mêlez-leur l'ail, le basilic et la menthe. Poivrez. Versez dans une terrine, un grand bol ou un plat à gratin en terre.

Servez à température ambiante, surtout pas glacé. J'ai oublié le sel ? Non, celui des anchois suffira !

Mon idée-saveur : cette compote se déguste seule ou avec des œufs durs, des olives noires de Nice, du pain de campagne grillé et aussi du thon blanc à l'huile…

Improvisez ! Pour changer de goût et de couleur, des poivrons jaunes remplacent très bien les poivrons rouges.

La daurade royale rôtie à la sarriette et au gingembre

~

Au marché : * La daurade royale est l'un des plus nobles poissons de nos mers. Vous ferez des économies si vous la pêchez vous-même ! On la reconnaît à sa couleur gris acier et surtout à sa tête camuse au museau un peu tronqué, surmonté d'une légère bosse couleur d'or. Demandez au poissonnier de la vider et de l'écailler.

* La sarriette s'appelle aussi pèbre d'ase (poivre d'âne) sur les marchés de Provence.

* Les oranges ne doivent pas contenir de pépins. C'est pourquoi je les préfère de la variété thompson.

2 heures à l'avance : salez la daurade abondamment à l'intérieur. Poivrez. Fourrez-la de quelques brins de sarriette, étalez le reste en couche uniforme au fond du plat. Couchez le poisson dessus, arrosez-le avec l'huile. Versez au fond du plat 3 à 4 cuil. à s. d'eau, sans qu'elle atteigne le poisson. Gardez au frais (pas au froid dans le réfrigérateur).

Pelez, râpez le gingembre avec une râpe fine. Râpez aussi le zeste d'1/2 orange.

Préparation : 20 min
Cuisson : 35 min

Facile
Un peu cher

Pour 6 personnes
1 daurade royale de 2 à 2.5 kg
(ou 2 pièces de 1.2 kg)
1 beau bouquet de sarriette fraîche
90 g de gingembre frais
3 belles oranges
8 cuil. à s. d'huile d'olive
120 g de beurre
Sel, poivre

Une présentation audacieuse pour changer : entourez la daurade d'une rangée de quartiers d'orange pelée à vif et d'un rang de feuilles de laurier.

Pelez à vif (en mettant la pulpe complètement à nu) les 3 oranges. Détachez les quartiers. Installez-vous au-dessus d'une assiette creuse, pour récupérer le jus qui s'écoule.

50 minutes avant le repas : préchauffez le four à 240 °C (thermostat 9).

30 minutes avant de servir : enfournez la daurade 15 min (10 min s'il y en a 2). Baissez la température à 180 °C (thermostat 4). Laissez encore cuire 20 min (15 min s'il y a 2 daurades). Surveillez la cuisson : si l'eau venait à s'évaporer complètement, ajoutez-en un peu.

Juste avant de servir : mettez le jus d'orange récupéré dans une petite casserole avec 1 pincée de sel. Portez à ébullition. Jetez le beurre coupé en morceaux dans le jus bouillant, en fouettant vivement jusqu'à ce que la sauce soit parfaitement liée.

Ajoutez alors le zeste et le gingembre râpés. Ne faites surtout plus bouillir ! Mettez les quartiers d'orange dans une saucière, versez la sauce dessus. Mettez à point de sel et de poivre.

Quand la daurade est cuite, présentez-la sur un joli plat chaud, portez-la à table accompagnée de la saucière de beurre au gingembre.

Improvisez ! Je prépare comme la daurade le sar, le pageot, le loup... ou tout autre poisson à chair ferme.

Mon tour de main : pour peler à vif, voir mon tour de main à la fin de la recette de la salade de langouste, dans le menu « Un déjeuner sous la tonnelle ».

Mon conseil-vin : choisissez un vin blanc sec et rond, comme un pouilly-fumé (Loire) ou un hermitage, grand vin blanc des Côtes-du-Rhône septentrionales au nez complexe, un peu épicé. L'un comme l'autre se servent à 8-10 °C.

La daurade rôtie entourée de ses ingrédients : orange, sarriette et gingembre.

Les pêches ou poires au vin de poivre et de laurier

~

Préparation : 25 min

Cuisson: 20 min

Facile

Un peu cher

Pour 6 personnes

12 pêches de vigne ou

12 poires williams

5 dl de porto rouge

75 cl de vin rouge

5 cuil. à s. de miel de fleurs

L'écorce d'1 citron

1 gousse de vanille

2 cuil. à s. de poivre noir

5 feuilles de laurier

Vin et porto vont donner à la chair blanche des poires cette belle couleur de pourpre brillante... et un parfum multiplié.

Au marché : * Les fruits : à la place des pêches de vigne, pas toujours disponibles, optez pour des pêches blanches moyennes, pourvu qu'elles soient bien parfumées.

* Le vin : choisissez un vin riche en tanins, qui lui donnent une robe très sombre. Les vins tanniques sont surtout les bordeaux jeunes, et autres vins du Sud-Ouest, dont le cahors jeune.

* Le laurier : choisissez de préférence des feuilles fraîches plutôt que séchées. Elles dégagent un parfum plus fort et plus net, ne se cassent pas lors des manipulations et restent plus belles à voir.

Au moins 2 heures à l'avance : versez le porto et le vin dans une grande sauteuse. Ajoutez l'écorce de citron, la vanille, le laurier et le poivre enfermé dans un sachet de tissu.

Portez à ébullition. Otez du feu, ajoutez le miel, couvrez.

Plongez les pêches 2 min dans une casserole d'eau bouillante. Otez-les, immergez-les aussitôt dans l'eau froide. Pelez-les.

Si vous avez choisi des poires, pelez-les tout bêtement, en gardant la queue.

Mettez aussitôt les fruits dans le vin encore chaud. Chauffez. Dès le premier bouillon baissez le feu, laissez frémir 10 min.

Otez du feu, couvrez, laissez refroidir.

Pressez le sachet de poivre pour en exprimer le jus et le mêler à la sauce au vin. Rangez fruits et jus dans un saladier.

Récupérez les feuilles de laurier, piquez-les au sommet des fruits comme s'il s'agissait de leurs propres feuilles.

Pour les pêches, détaillez le bâton de vanille en 12 bâtonnets, plantez-les en guise de queues.

Gardez au frais, mais hors du réfrigérateur : la saveur du poivre conjuguée à celle du porto donne une impression de fraîcheur très suffisante.

MENU POUR DES COPAINS

~

Le tourin d'ail doux
L'entrecôte de charolais à la fondue d'anchois et aux herbes
La tarte aux pommes et aux noix

~

En Provence, pas de réunions de copains sans partie de pétanque. Même le cuisinier, en attendant la fin des cuissons, peut viser le cochonnet entre deux gorgées d'apéritif...

Ce jour-là, en attendant mon ami Émile, fumeur de pipe et ne reculant pas devant les alcools chauds, je méditais notre menu... J'avais connu Émile, bien des années auparavant, lors de chasses au Kenya. Je devais composer un menu assez flamboyant pour satisfaire la solidité et la chaleur de son palais.

Que pouvait-il y avoir de mieux qu'un tourin à l'ail et de belles entre-côtes aux anchois ?

Un cuisinier exerce un grand pouvoir sur la santé de ses convives. Quand je prépare une soupe à l'ail, j'ai le sentiment de les régaler tout en leur servant un remède à bien des maux : lorsque j'étais enfant, je connaissais un vieux couple qui émerveillait le village par sa vivacité. Or ces gens récoltaient chaque année, dans leur jardin, huit cents pieds d'ail pour leur seul usage. De quoi consommer chacun et chaque jour 1 grosse tête d'ail ! Je ne vous dis pas qu'ils avaient l'haleine fraîche, mais ils ont vécu jusqu'à quatre-vingt-dix ans et sont partis, comme on dit, en parfaite santé ! Voilà donc de quoi donner bonne conscience à ce grand gourmand d'Émile...

Adonnez-vous au plaisir du tourin sans même craindre ses effluves : les deux précuissons que je prescris atténuent le lourd parfum de l'ail...

A l'apéritif : soyez différent... Transformez le kir du célèbre chanoine en cardinal ! Remplacez le bourgogne aligoté par un hermitage et le cassis par une crème de mûre (comptez 1 cuil. à c. de crème pour 1 dl de vin). Accompagnez cet apéritif de quelques rondelles de saucisson sec d'Arles.

1 cuil. à s. de cassis dans un petit verre de vermouth blanc bien frais, et voilà encore une idée d'apéritif fruité, insolite et facile à préparer.

Le tourin d'ail doux
~

Au marché : * La crème fleurette est de la crème fraîche plutôt liquide. On la trouve facilement en grandes surfaces, présentée en briquettes longue conservation.

35 minutes avant de passer à table : pelez les gousses d'ail, mettez-les dans une casserole avec 2 l d'eau. Portez à ébullition, égouttez. Changez l'eau, portez de nouveau à ébullition, égouttez encore.

Remettez les gousses ainsi blanchies dans la casserole avec 1 l d'eau, une pincée de sel et les cubes de bouillon. Chauffez. Faites cuire 7 à 8 min à petits bouillons.

Quand les gousses sont fondantes au toucher, ajoutez le pain de mie sans la croûte. Au premier bouillon, versez la crème fleurette.

Dès que l'ébullition reprend, versez tout dans le mixer avec le beurre. Mélangez à grande vitesse. Mettez à point de sel.

Présentez aussitôt dans une soupière chaude, après avoir donné un ou deux bons tours de moulin à poivre.

Mon idée-saveur : si je sers ce tourin en bols individuels, il m'arrive d'ajouter dans chaque bol, au moment de servir, un jaune d'œuf frais.

Mon conseil-vin : si vous tenez à boire du vin avec cette soupe désaltérante, débouchez un cahors solide, aux accents rocailleux.

Préparation : 15 min
Cuisson : 10 min

Facile
Économique

Pour 6 personnes
150 g de pain de mie
250 g de gousses d'ail
2 cubes de bouillon de volaille
30 cl de crème fleurette
30 g de beurre
Sel, poivre

L'entrecôte de charolais
à la fondue d'anchois et aux herbes
~

Préparation : 10 mim

Cuisson : 10-15 min

Facile

Un peu cher

Pour 6 personnes

3 entrecôtes de bœuf

charolais de 500-600 g

chacune

18 filets d'anchois à l'huile

d'olive

1 cuil. à c. d'ail haché menu

2 grosses cuil. à s. de persil

haché

1 cuil. à moka de fleur

de thym

1 cuil. à moka de sarriette

hachée fin

1 cuil. à moka de

Worcestershire sauce

1 jus de citron

150 g de beurre

Sel, poivre

Au marché : * Les entrecôtes : commandez-les à votre boucher en spécifiant que vous voulez « l'entrecôte du boucher », c'est-à-dire celle dont la viande est persillée de minces filons de graisse. Mais demandez-lui de les parer, c'est-à-dire d'enlever la graisse en excès et les nerfs.
* Les anchois : choisissez-les au sel et préparez-les vous-même. Rincez-les sous le robinet ou laissez-les tremper au moins 30 min dans un grand volume d'eau froide. Essuyez-les, laissez-les mariner au moins 12 h dans l'huile d'olive.
* La Worcestershire sauce : vous trouverez cette sauce anglaise au rayon des condiments, près des moutardes et autres cornichons, entre autres sous la marque Lea Perrins.

15 à 20 minutes avant de servir : chauffez 2 x 15 g de beurre dans 2 grandes poêles. Salez, poivrez les entrecôtes recto verso. Posez-les sur le beurre blondi. Faites cuire à feu moyen 2 à 3 min par face, selon votre goût, l'épaisseur de la viande, sa texture…

Quand les entrecôtes sont cuites, ôtez-les, posez-les sur une petite assiette chaude retournée au fond d'une grande assiette : la viande ne baignera pas dans le jus qui va s'écouler. Couvrez le tout de papier aluminium pour garder chaud.

Videz la poêle du jus de cuisson, mais ne la nettoyez pas. Faites-y fondre les filets d'anchois à feu doux. Ajoutez 120 g de beurre en tournant à feu moyen, puis le citron, le thym, la sarriette, le persil, l'ail et la Worcestershire sauce. Poivrez copieusement, versez le jus écoulé des entrecôtes. Chauffez doucement sans faire bouillir.

Coupez les entrecôtes en deux, dressez-les sur 6 assiettes chaudes, arrosez de sauce.

Mon conseil-vin : régalez-vous avec un cru des Côtes-du-Rhône méridionales : un châteauneuf-du-pape rouge, âgé d'au moins 2 à 3 ans, servi à 14-16 °C. A moins que vous ne préfériez un collioure rouge, servi à la même température.

La tarte aux pommes et aux noix

~

Plusieurs heures à l'avance : préchauffez le four à 180 °C (thermostat 5). Concassez les cerneaux au couteau. Battez le beurre dans une terrine pour le mettre en pommade. Ajoutez et mélangez dans l'ordre le sucre, les œufs un à un, la farine et enfin les cerneaux.

Beurrez 6 moules à tartelettes de 9 à 10 cm de diamètre. Versez-y la pâte.

Pelez les pommes. Coupez-les en 2, épépinez-les, émincez-les en fines lamelles. Disposez-les sur la pâte.

Enfournez 20 min environ. Poudrez de sucre glace, faites colorer encore 5 à 10 min. Laissez refroidir.

Juste avant de servir : réchauffez brièvement les tartelettes au four, juste pour les tiédir. Servez.

Improvisez ! Quand je n'ai pas de pommes reinettes, je les remplace par... 20 pruneaux cuits au vin ! Placez les pruneaux dans une casserole avec 25 cl d'eau et 25 cl de vin, 2 cuil. à s. de sucre en poudre et un zeste de citron. Laissez bouillir 10 min à petit feu. Égouttez les pruneaux, dénoyautez-les. Disposez 3 ou 4 fruits, selon leur grosseur, sur la pâte de noix. Faites cuire normalement.

Préparation : 20 min
Cuisson : 30-40 min

Facile
Pas cher

Pour 6 personnes
3 pommes reinettes
75 g de cerneaux de noix
150 g de beurre mou
3 œufs
150 g de farine
150 g de sucre
75 g de sucre glace

La même tarte peut se préparer, pour changer, avec des pruneaux cuits au vin (voir ci-dessus "Improvisez !").

Un Déjeuner
d'Automne

~

La quiche crémeuse aux morilles
Les côtes de veau au pastis et aux pions d'ail
Le soufflé léger aux reinettes

~

On peut marier dans un menu les parfums du Midi avec ceux du Nord. L'automne, carrefour des saisons et des arômes, se prête volontiers à ces vastes harmonies.

Ainsi, des amis du Nord (enfin, ils habitent au nord d'Orange...) sont-ils passés par le Moulin un de ces jours d'octobre. Avant de les laisser remonter vers la morosité de leur hiver nordique (hum, hum !), j'ai voulu les revigorer avec un menu de chez nous qu'ils pourraient refaire chez eux, en mettant ainsi dans la cuisine de là-haut un rayon de lumière provençale.

Voici donc ce menu, avec un parfum de sous-bois humide dans la quiche aux morilles, la générosité d'une belle côte de veau, la vigueur ensoleillée des petits pions d'ail, et une touche de pastis pour vous faire aborder l'hiver avec courage...

A l'apéritif : on peut trouver amer de laisser le bel été derrière soi. Mais on peut aussi apprécier la saveur amère, souvent délaissée, autour de laquelle on compose pourtant de délicieux apéritifs. Ouvrez donc une bouteille de vin blanc des Côtes-de-Provence bien fait. Ajoutez-y de la crème de noix, en dosant selon votre goût.

Quand la campagne épuisée de soleil commence à roussir, les vignes de Provence livrent les raisins dont on fait de grands vins blancs, rosés et rouges.

143

L'automne étant aussi propice aux champignons, émincez quelques cèpes, faites-les sauter à la poêle dans l'huile d'olive avec une pointe d'échalote et du persil. Répartissez sur de petites rondelles de pain baguette simplement toastées. Servez chaud avec le vin à la noix bien frais... et vous raffolerez de cette alliance Nord-Sud !

Profitez de la saison des récoltes pour mettre l'été en bocaux : vous jouirez toute l'année des arômes et des vitamines offerts par le soleil.

La quiche crémeuse aux morilles

~

Au moins 8 heures à l'avance, ou la veille : préparez la pâte. Versez dans le bol d'un robot à hélice la farine, le sel, le beurre en morceaux, l'œuf et 5 cuil. à s. d'eau froide. Mélangez à petite vitesse, ajoutez un peu d'eau si la pâte vous semble sèche. Arrêtez dès que la pâte est amalgamée.

Si vous n'avez pas de mélangeur, faites un puits au centre de la farine, versez-y les ingrédients, assemblez du bout des doigts, en pétrissant le moins longtemps possible pour obtenir une boule. Entourez la boule de film plastique, laissez-la reposer au moins 6 h dans la partie la moins froide du réfrigérateur.

Étalez la pâte sur 2 mm d'épaisseur. Tapissez-en un moule à tarte de 25 cm de diamètre et 3 cm de haut. Laissez-la déborder largement, coupez ce qui dépasse en passant le rouleau à pâtisserie. Gardez les chutes (volumineuses) pour un autre usage.

Pincez les bords entre le pouce et l'index pour les remonter légèrement. Piquez la pâte avec une fourchette. Mettez le moule au moins 1 h au congélateur : cela empêchera la pâte de se rétracter en cuisant.

2 heures avant de servir : préchauffez le four à 220 °C (thermostat 8). Couvrez le fond de la tarte avec un disque de papier sulfurisé, versez les haricots secs dessus.

Enfournez 15 min sans laisser la pâte dorer. Otez papier et haricots. Laissez refroidir.

Si vous avez des morilles séchées, faites-les tremper 1 h dans l'eau tiède.

50 minutes avant le repas : préchauffez le four à 200 °C (thermostat 6).

Égouttez les morilles, pressez-les légèrement pour exprimer l'eau en excès.

Préparation : 30 min

Cuisson : 45 min

Facile
Cher

Pour 6 personnes
Pour la pâte
300 g de farine
125 g de beurre
1 œuf
1 cuil. à c. de sel
500 g de haricots secs
(Pourquoi ? On va vous
le dire plus loin)
Pour la garniture
30 g de morilles séchées ou
400 g de morilles fraîches
2 cuil. à s. d'échalote hachée
2 cuil. à s. de ciboulette
hachée
2 œufs entiers + 2 jaunes
25 g de beurre
35 cl de crème fleurette
1 râpée de noix de muscade
Sel, poivre

Si vous avez des morilles fraîches, ne les lavez pas (elles se gorgeraient d'eau). Coupez le pied terreux, soufflez dessus pour chasser les traces de terre, essuyez-les avec un linge humide.

Chauffez le beurre dans une poêle à feu vif. Faites-y blondir l'échalote, jetez-y les morilles. Remuez le temps que toute l'eau qu'elles rendent s'évapore.

Ajoutez 8 cuil. à s. de crème fleurette, salez, poivrez, laissez bouillonner 4 à 5 min. Gardez de côté sur une assiette.

Dans une terrine, mettez les œufs et les jaunes, fouettez 2 min. Versez 25 cl de crème fleurette, la ciboulette, salez, muscadez, poivrez. Mélangez.

30 minutes avant de servir : versez les morilles à la crème sur la pâte, couvrez de mélange œufs-crème, enfournez 30 min.

La quiche est cuite quand elle est bien dorée et quand la pointe d'un couteau enfoncée à cœur ressort pratiquement sèche. Présentez-la sur un plat rond.

Mon idée-saveur : vous n'aurez pas besoin de toute la pâte pour cette recette, mais il est difficile d'en préparer une plus petite quantité. Moi, j'en prépare même plus à la fois : je la garde au réfrigérateur une semaine et beaucoup plus longtemps au congélateur, emballée dans du film plastique. Elle vous servira à faire des pâtés, des tartes aux fruits, des tartelettes garnies d'œufs pochés aux épinards ou aux pointes d'asperges, de saumon fumé, etc.

Mon tour de main : pour obtenir une pâte uniformément aplatie, reportez-vous à mon tour de main à la fin de la recette des tartelettes d'orange, dans le menu « Un déjeuner de fleurs ».

Mon conseil-vin : j'aime déguster avec cette quiche un pouilly-fumé (vin blanc de Loire) de bon millésime et âgé de 2 à 3 ans. Rafraîchissez-le à 8-9 °C, pas plus froid, pour bien profiter des arômes que développe son cépage sauvignon.

Les morilles fraîches se ramassent surtout au printemps. Mais ce sont les champignons qui retrouvent le mieux texture et parfum après dessiccation. Leur arôme de sous-bois les fait aimer dans la cuisine des saisons froides.

Les côtes de veau au pastis
et aux pions d'ail
~

Préparation : 30 min

Cuisson : 20 min

Facile

Cher

Pour 6 personnes

3 côtes de veau de 800 g
chacune

2 têtes d'ail

1 cuil. à s. de pastis

Quelques brins de persil

5 cuil. à s. de vin blanc sec

5 cuil. à s. de farine

1 cuil. à c. de paprika doux

100 g de beurre

5 cl d'huile d'olive

Sel, poivre

Ayez un plat à four allant
aussi sur le feu, assez grand
pour y serrer les 3 côtes.

Au marché. * Les côtes de veau doivent être des côtes premières bien blanches, parées et dégraissées, de 800 g chacune.
Pour atteindre ce poids, il doit s'agir de côtes doubles.

Plusieurs heures à l'avance : dégagez les gousses des 2 têtes
d'ail. Pelez-les, coupez-les en bâtonnets (les « pions ») de la
grosseur d'une dent de fourchette. Otez le germe vert qui loge
souvent au cœur de la gousse (il est peu digeste et « parfume »
l'haleine).

Chauffez l'huile d'olive dans une poêle. Ajoutez les pions
d'ail, faites rissoler à feu doux jusqu'à ce qu'ils deviennent secs
et blonds. Égouttez, gardez sur un papier absorbant.

Mêlez la farine et le paprika. Salez, poivrez les côtes de
veau, poudrez-les avec ce mélange. Retournez-les, poudrez
l'autre face, appuyez bien pour faire adhérer.

Chauffez 40 g de beurre dans un plat à four sur feu
moyen. Quand il commence à chanter, disposez les côtes bien à
plat. Laissez dorer les deux faces 10 min en tout. Otez-les, gardez-les sur une assiette au chaud. Couvrez-les d'une feuille de
papier aluminium pour que les côtes finissent d'étuver.

Versez le vin dans le plat. Portez à ébullition, grattez le
fond avec une spatule en bois pour décoller les sucs.

25 minutes avant de servir : préchauffez le four à 200 °C (thermostat 6). Ajoutez 50 g de beurre dans le plat sur feu doux, fouettez pour le mêler au jus de cuisson afin de le lier un peu. Ajoutez le jus rendu par les côtes et le pastis. Filtrez cette sauce dans une passoire fine au-dessus d'un bol, gardez au chaud.

5 minutes avant de servir : coupez les côtes en deux, mettez-les dans le plat à four, enfournez-les 2 à 3 min, le temps de les réchauffer à cœur. Disposez-les sur 6 assiettes chaudes. Nappez de sauce et de pions d'ail. Parsemez quelques brins de persil frais. Servez.

Mon conseil-vin : pour résister au pastis tout en épousant la finesse du veau, je choisis un bon vin du pays aux saveurs solides : un rouge des coteaux d'Aix-en-Provence, charpenté, un peu corsé, que je sers à 14-16 °C.

Le soufflé léger aux reinettes

~

Quelques heures à l'avance : pelez 2 pommes, coupez-les en 4, ôtez le cœur. Mettez les 8 quarts dans une casserole avec 2 cuil. à s. d'eau et 2 cuil. à s. de sucre. Couvrez, laissez cuire jusqu'à ce que la pulpe commence à se désagréger. Fouettez pour mettre en compote, laissez refroidir.

Coupez les 2 autres pommes en petits dés de 7 à 8 mm de côté. Chauffez 30 g de beurre dans une poêle. Dès qu'il mousse, ajoutez les dés de pommes, faites-les sauter 3 à 4 min à feu vif. Laissez refroidir.

Beurrez 6 ramequins de 10 cm de diamètre. Versez 50 g de sucre en poudre dans un ramequin, tournez-le en tous sens pour qu'il se couvre de sucre, versez l'excédent dans un autre moule, etc. Sucrez ainsi tous les ramequins. Posez-les au fur et à mesure sur une plaque à four, sans qu'ils se touchent. Gardez au frais.

Préparation : 25 min
Cuisson : 30 min

Un peu difficile
Pas cher

Pour 6 personnes
4 pommes reinettes
6 cuil. à s. de calvados
12 œufs
11 cuil. à s. de sucre fin
60 g de beurre

25 minutes avant de servir : préchauffez le four à 210 °C (thermostat 7).

Séparez les blancs et les jaunes d'œufs, placez-les dans 2 grands saladiers. Ajoutez 4 cuil. à s. de sucre aux jaunes, fouettez 5 min pour obtenir une crème pâle et mousseuse. Ajoutez la compote et le calvados. Mélangez au fouet. Incorporez délicatement les dés de pomme avec une spatule.

Montez les blancs en neige ferme. Mélangez 1/3 de la neige à la préparation ci-dessus, en tournant doucement. Incorporez le reste en tournant de bas en haut, et en allant bien jusqu'au fond.

Emplissez les moules en bombant la surface. Passez le pouce tout autour pour nettoyer le moule (et n'hésitez pas à sucer votre pouce si personne ne vous regarde).

Enfournez 3 à 4 min. Baissez la température à 150 °C (thermostat 4). Laissez cuire encore 10 min, sans ouvrir le four !

Placez les soufflés bien gonflés sur des assiettes à dessert garnies de napperons ou de serviettes repliées. Servez aussitôt.

Mon tour de main : pour monter parfaitement les blancs en neige, reportez-vous à mon tour de main à la fin de la recette des tartelettes d'orange, dans le menu « Un déjeuner de fleurs ».

La modeste pomme devient mets de luxe dans cette recette spectaculaire et économique.

Index par le Menu

~

Index par le Menu

~

Index Alphabétique des Recettes

~

Index Alphabétique
des Recettes

~

A la Carte

~

A LA CARTE

~

A la Carte

REMERCIEMENTS

~

Ce livre n'aurait pu voir le jour sans un travail d'équipe qui a permis d'en réunir tous les ingrédients et je voudrais remercier ici tous ceux qui m'ont apporté leur collaboration.

Tout d'abord, ma gratitude va à Charles-Henri Flammarion qui a accepté ce projet de grande envergure et m'a donné la possibilité de travailler avec Pierre Hussenot. J'ai apprécié son calme et sa discrétion au cours de ces longues semaines de prises de vues.

Je voudrais dire ma reconnaissance à mon éditrice, Gisou Bavoillot, et à son équipe qui m'ont soutenu pas à pas lors de la réalisation de l'ouvrage.

Je voudrais remercier ensuite ceux qui ont contribué au contrôle des recettes : Jean-Jacques Trilhe, Serge Chollet et Denis Mornet, remercier Danièle Schnapp qui nous a aidés au début des prises de vues.

Ce livre est destiné à faire la fête chez soi ; aucune des photos n'a donc été prise au *Moulin de Mougins*. Certaines l'ont été chez moi, d'autres chez mes amis qui ont bien voulu accueillir notre équipe plutôt envahissante. Ma reconnaissance va ainsi à Line et Roger Mühl, César, Bernard Chevry, Madame Costa, Mesdames Polverino, Monsieur Chemit. On retrouve certains de ces noms dans les remerciements que je réserve à cette tablée de copains qui a eu la rude tâche de partager ce déjeuner sous le tilleul : César, Roger Mühl, Bernard Chevry, José Albertini et Patrick d'Humières.

Merci aussi à tous ceux qui nous ont fourni les éléments des recettes et de leur mise en scène : Robert et Édouard Céneri de *La Ferme savoyarde*, un grand fromager et Georges Bruger, *Le Roi du Charolais* ; enfin les boutiques suivantes : Au bain marie (20 rue Hérold, 75001 Paris), Ateliers de Segriès (Moustiers Ste-Marie), Dîners en ville (27 rue de Varenne, 75007 Paris), Christian Dior (30 Av. Montaigne, 75008 Paris), Pierre Frey (47 rue des Petits-Champs, 75002 Paris), Primrose Bordier (57 Av. d'Iéna, 75016 Paris), Descamps (88 rue de Rivoli, 75004 Paris), La Tuile à loup (35 rue Daubenton, 75005 Paris), Geneviève Lethu (95 rue de Rennes, 75006 Paris), Pier Import (122 rue de Rivoli, 75004 Paris), Au Pérou (Cannes), Soleïado (1 rue Lobineau, 75006 Paris), Verreries de Biot (Biot).

Je voudrais remercier tout particulièrement Serge Cholet, Michel Duhamel, Daniel Desavie, sans oublier Sylvie Charbit, qui ont apporté leurs soins et leurs talents à ces *Tables de mon Moulin*.

L'éditeur tient à exprimer sa plus grande reconnaissance à Andy Stewart qui a présidé à la naissance de la première édition du livre de Roger Vergé *Les Fêtes de mon Moulin*, d'où est né ce nouvel ouvrage, ainsi qu'à Adeline Brousse, Marc Walter, Margherita Mariano, Muriel Vaux et Anne-Laure Mojaïsky pour leur collaboration à cette nouvelle édition.

Du même Auteur

~

Parution printemps 97

ÉDITIONS ÉTRANGÈRES
DES LÉGUMES DE MON MOULIN

Édition anglaise : Mitchell Beazley (Londres)

Édition américaine : Artisan (New York)

Édition allemande : Mosaik Verlag (Munich)

Édition danoise : Nyt Nordisk (Copenhague)

Édition hollandaise : Lannoo (Tielt, Belgique)